Título original: *Mr. Monster*
Traducción: Mariana Pedroza
Edición: Erika Wrede
Armado: María Natalia Martínez sobre maqueta de Marianela Acuña
Ilustración de tapa: Marcelo Orsi Blanco

Publicado en virtud de un acuerdo con Lennart Sane Agency AB.

Argentina: San Martín 969 piso 10 (C1004AAS) Buenos Aires
Tel./Fax: (54–11) 5352-9444 y rotativas
e-mail: editorial@vreditoras.com

México: Dakota 274, Colonia Nápoles
CP 03810 - Del. Benito Juárez, México D. F.
Tel./Fax: (5255) 5220-6620/6621
e-mail: editoras@vergarariba.com.mx

ISBN: 978-987-747-038-3

Impreso en El Ateneo Grupo Impresor S.A.,
Comandante Spurr 631, Avellaneda,
Provincia de Buenos Aires,
en el mes de febrero de 2016

Wells, Dan
   No soy el Señor Monstruo / Dan Wells. 1a ed.
Ciudad Autónoma de Buenos Aires: V&R, 2016.
   352 p.; 21 x 15 cm.

   Traducción de: Mariana Pedroza.
   ISBN 978-987-747-038-3

1. Literatura Infantil y Juvenil Estadounidense. 2. Novelas Policiales.
3. Novelas de Misterio. I. Pedroza, Mariana, trad. II. Título.
   CDD 813.9282

Segundo libro de la saga JOHN CLEAVER

NO SOY EL SEÑOR MONSTRUO

DAN WELLS

V&R
EDITORAS

Desde el tiempo de mi infancia
no he sido como otros eran,
no he visto como otros veían.

Solo, Edgar Allan Poe

Maté a un demonio. En sentido estricto, no sé si era realmente un demonio —no soy exactamente lo que se dice una persona religiosa— pero sí sé que mi vecino era una especie de monstruo, con colmillos y garras y toda la cosa. Podía convertirse y volver a la normalidad, y mató a mucha gente. Si hubiera descubierto que yo sabía quién era, me habría matado a mí también. Así que a falta de una palabra mejor lo llamé demonio, y como no había nadie más que pudiera hacerlo, lo maté. Creo que era lo que había que hacer. Al menos los asesinatos se detuvieron.

Bueno, se detuvieron por un tiempo.

Verás, yo también soy un monstruo; no un demonio sobrenatural, solo un chico seriamente dañado. He pasado toda mi vida tratando de mantener mi lado oscuro encerrado en donde no pudiera lastimar a nadie, pero luego apareció el demonio y la única forma de detenerlo fue dejando salir mi lado oscuro. Y ahora no sé cómo volver a encerrarlo.

A mi lado oscuro lo llamo Señor Monstruo; el lado que sueña con cuchillos sangrientos e imagina cómo te verías con la cabeza clavada en un palo. No tengo personalidades múltiples y no escucho voces ni nada, simplemente... es difícil de explicar. Pienso en muchas cosas terribles y quiero hacer muchas cosas terribles, y es más fácil negociar con ese lado de mí si pretendo que es alguien más; no es John el que quiere cortar a su madre en pedacitos, es el Señor Monstruo, ¿sabes? Solo de decirlo ya me siento mejor.

Pero este es el problema: el Señor Monstruo está hambriento. Los asesinos seriales a menudo hablan de una necesidad, un ansia que los impulsa; al principio la pueden controlar, pero va creciendo y creciendo hasta que les es imposible detenerla, y entonces explotan y tienen que matar otra vez. Antes no entendía de qué estaban hablando, pero ahora creo que sí. Ahora puedo sentirlo, en lo más profundo de mis huesos, tan insistente e inevitable como el impulso biológico de comer o cazar o reproducirse.

He matado una sola vez, y es solo cuestión de tiempo antes de que vuelva a hacerlo.

E ra la una de la mañana y yo estaba mirando a un gato. Probablemente era un gato blanco, aunque no había forma de asegurarlo en la oscuridad; la poca luz de la luna que se filtraba por las ventanas rotas hacía de la habitación una versión más vieja de sí misma, una escena de una película en blanco y negro. Las paredes de bloques de cemento eran grises, los barriles abollados y las pilas de tablones de madera eran grises, los montones de latas de pintura a medio usar eran grises; y allí en el centro, sin moverse, había un gato gris.

Jugué con el botellón de plástico en las manos, girándolo hacia delante y hacia atrás, escuchando cómo la gasolina se agitaba dentro de la botella. Tenía una caja de fósforos en el bolsillo, y una pila de trapos aceitosos en mis pies. Había suficiente madera vieja y químicos ahí para iniciar un incendio espectacular, y deseaba desesperadamente iniciar uno, pero no quería hacerle daño a ese gato. Ni siquiera me atrevía a asustarlo para que se fuera, por miedo a perder el control. Así que solo lo observaba, esperando. Tan pronto como se fuera, este lugar iba a desaparecer.

Era finales de abril, y la primavera finalmente estaba ganando la batalla de transformar un aburrido y congelado condado de Clayton en uno alegre y verde. Una gran parte de esto, claro, se debía al hecho de que el Asesino de Clayton nos había dejado finalmente en paz: sus violentos asesinatos habían durado casi cinco meses, pero repentinamente habían cesado, y nadie sabía nada de él desde enero. La gente del pueblo permaneció temerosa un par de meses más, cerrando sus puertas y ventanas cada noche y apenas atreviéndose a prender la televisión al despertar, por miedo a ver otro cadáver destrozado en las noticias matutinas. Pero no ocurrió nada, y lentamente empezamos a creer que esta vez de verdad había acabado todo y no habría más cadáveres que recoger. El sol salía, la nieve se derretía y la gente empezaba a sonreír otra vez. Habíamos superado la tormenta. Clayton llevaba casi un mes siendo tentativamente feliz.

De hecho, yo era la única persona que no había estado preocupada en absoluto. Yo sabía con certeza que el Asesino de Clayton se había ido para siempre, allá por enero. Después de todo, fui yo quien lo mató.

El gato se movió. Bajó la cabeza, y dejó de ponerme atención para lamerse la pata. Me quedé completamente inmóvil, esperando que me ignorara, se olvidara de mí, saliera a cazar o algo así. Supuestamente los gatos son cazadores nocturnos y este tenía que comer en algún momento. Saqué un reloj de mi bolsillo –un reloj de pulsera de plástico barato al que le había arrancado las correas– y volví a revisar la hora. 1:05. Esto no estaba yendo a ningún lugar.

El almacén había sido construido como un depósito de suministros para una empresa de construcción hace muchos, muchos años, en la época en la que la gran fábrica de madera del pueblo era nueva y la gente todavía pensaba que el condado de Clayton podía convertirse en algo más. Nunca lo hizo, y mientras la fábrica de madera seguía funcionando a marcha forzada, la compañía de construcción recortó el personal y se fue a casa. Desde entonces, no he sido el único que ha hecho uso del edificio abandonado: las paredes están cubiertas con graffiti y el suelo dentro y fuera está lleno de latas de cerveza y envoltorios vacíos. Incluso me encontré con un colchón detrás de unos tablones de madera, presumiblemente el hogar temporal de algún vagabundo. Me pregunté si el Asesino de Clayton había acabado con él también antes de que yo lo detuviera; en cualquier caso, el colchón estaba mohoso por falta de uso y supuse que nadie había estado aquí en todo el invierno. Cuando finalmente tuviera la oportunidad, ese colchón iba a ser el corazón de mi elaborado incendio.

Esta noche, sin embargo, no había nada que pudiera hacer. Tenía que seguir mis reglas, y esas reglas eran muy estrictas: la primera decía "No lastimar animales". Esta ya era la cuarta vez que el gato me había impedido quemar el almacén. Supongo que debería estar agradecido, pero… realmente necesitaba quemar algo. Un día de estos tomaría a ese gato y… No. No lastimaría al gato. Nunca más volvería a lastimar a nadie.

Respira profundo.

Dejé el botellón de gasolina en el suelo; no tenía tiempo para esperar al gato, pero podía quemar algo más pequeño. Tomé un tablón de madera y lo arrastré hacia afuera, luego volví por la gasolina. El gato seguía allí, ahora sentado en un cuadrado entrecortado de luz de luna, mirándome.

–Un día de estos –dije antes de darme la vuelta y salir de ahí. Rocié un poco de gasolina en el tablón de madera, apenas lo suficiente para que fuera más fácil, luego coloqué el botellón junto a mi bici, lejos de donde iniciaría el fuego. La seguridad primero. Las estrellas estaban apagadas y los árboles en el bosque estaban cerca, pero el almacén se encontraba en un claro de grava y pasto seco. Por algún lugar de entre los árboles se colaba el murmullo de la carretera interestatal, llena de semirremolques nocturnos y algún que otro coche somnoliento.

Me arrodillé junto al tablón, olí la gasolina en el aire y saqué mis fósforos. No me tomé la molestia de romper la madera o preparar exactamente una fogata, solo prendí el fósforo y lo dejé caer sobre la gasolina, mientras veía cómo estallaba, brillante y amarilla. Las llamas lengüetearon la gasolina y luego, lentamente, comenzaron a quemar la madera. Miré de cerca, escuchando los pequeños crujidos y chasquidos mientras el fuego encontraba residuos de savia. Cuando el fuego ya había envuelto el tablón, lo tomé de una esquina segura y lo volteé para que las llamas pudieran propagarse y extenderse por el resto de los bordes. Se movían como un ser vivo, tanteando la madera con un delgado dedo amarillo, probándolo para luego llegar a devorarlo ávidamente.

El fuego prendió bien, mejor de lo que había esperado. Me pareció una pena que se desperdiciara en un solo tablón, así que arrastré otro desde el almacén y lo eché al centro del fuego. La llama ahora era lo suficientemente grande como para rugir y crepitar, y saltó hacia la nueva madera con claro deleite. Le sonreí, como el orgulloso dueño de un perro precoz. El fuego era mi mascota, mi compañero, y la única catarsis que me quedaba; cuando el Señor Monstruo clamaba para que yo rompiera mis reglas y lastimara a alguien, siempre podía apaciguarlo con un buen fuego. Vi la llama extenderse por el segundo tablón y escuché el sordo rugido mientras quemaba el oxígeno. Sonreí. Quería más madera, así que entré por dos tablones más. Un poco más no lastimaría a nadie.

–Por favor, no me lastimes.

Me encantaba cuando ella decía eso. Por alguna razón, siempre esperaba que me preguntara "¿Vas a lastimarme?", pero era demasiado lista para eso. Estaba atada a la pared de mi sótano y yo tenía un cuchillo… Por supuesto que iba a lastimarla. Brooke no hacía preguntas estúpidas, una de las razones por las que me gustaba tanto.

–Por favor, John, te lo ruego; por favor, no me hagas daño.

Podía escuchar eso por horas. Me gustaba porque iba directo al punto: yo tenía todo el poder en la situación y ella lo sabía. Sabía que sin importar lo que quisiera, yo era el único que podía dárselo. Solo en esta habitación, con el cuchillo en mi mano, yo era su mundo entero, sus esperanzas y sus miedos al mismo tiempo, su todo a la vez.

Moví el cuchillo imperceptiblemente y sentí una descarga de adrenalina mientras sus ojos se movían para seguirlo: primero a la izquierda, luego a la derecha; ahora arriba, ahora abajo. Era un baile íntimo, nuestras mentes y cuerpos en perfecta sincronía.

Ya había sentido esto antes, cuando apunté con un cuchillo a mi mamá en la cocina, pero ya desde entonces sabía que Brooke era la única que realmente importaba. Brooke era con quien quería conectar.

Levanté el cuchillo y di un paso al frente. Como haría un compañero de baile, Brooke se movió al unísono, presionando la espalda contra la pared, con los ojos cada vez más abiertos y la respiración cada vez más rápida. *Una conexión perfecta.*

Perfecta.

Todo era perfecto, justo como me lo había imaginado mil veces. Era una fantasía hecha realidad, un escenario tan completo que empecé a sentir que me arrastraba hasta arrasar conmigo. Sus grandes ojos concentrados completamente en mí. Su piel pálida temblando conforme me acercaba a ella. Sentí un arrebato de emociones turbias dentro de mí, derramándose y formando ampollas en mi piel.

Esto está mal. Esto es exactamente lo que siempre he querido, y exactamente lo que siempre he querido evitar. Se siente bien y mal al mismo tiempo.

No sé distinguir entre mis sueños y mis pesadillas.

Esto solo podía terminar de una manera, la manera en la que siempre terminaba. Metí el cuchillo en el pecho de Brooke, ella gritó y yo desperté.

—Despierta —repitió mamá mientras encendía la luz. Me di la media vuelta y gruñí. Odiaba despertar, pero odiaba dormir aún más, era demasiado tiempo para pasar solo con mi inconsciente. Hice una mueca y me obligué a sentarme. *Había sobrevivido a otro sueño. En tan solo veinte horas tendría que volver a hacerlo.*

–Hoy es un día importante –anunció mamá, abriendo las cortinas metálicas de mi ventana–. Después de la escuela tienes otra cita con Clark Forman. Vamos, levántate.

Volteé para mirarla, con los ojos entrecerrados, todavía adormilado.

–¿Otra vez Forman?

–Te lo comenté la semana pasada –dijo ella–. Posiblemente sea otra declaración.

–Como sea.

Salí de la cama y me dirigí al baño para darme una ducha, pero mamá me bloqueó el camino.

–Espera –dijo con severidad–. ¿Qué decimos?

Suspiré y repetí nuestra frase ritual de la mañana:

–Hoy voy a tener buenos pensamientos y sonreírle a todas las personas que vea.

Sonrió y me dio una palmadita en el hombro. A veces quisiera simplemente tener un despertador.

–¿Corn Flakes o Cheerios para desayunar?

–Puedo servirme mi propio cereal –respondí y la hice a un lado para pasar al baño.

Mi mamá y yo vivíamos arriba de la funeraria en un barrio tranquilo a las afueras de Clayton. Técnicamente estábamos al otro lado de la línea municipal, lo que nos colocaba en el condado antes que en el pueblo, pero el lugar era tan pequeño que a nadie le importaba realmente dónde estaban las líneas divisorias. Vivíamos en Clayton, y gracias a la funeraria éramos una de las pocas familias en las que ninguno de sus integrantes trabajaba en la planta de madera. Uno pensaría que en un pueblo pequeño como este no tendría suficientes muertos como para mantener el negocio de la funeraria, y de hecho era verdad: vivíamos contra las cuerdas la mayor parte del año, luchando para pagar las cuentas. Mi papá pagaba su parte de mi manutención, o más correctamente, el gobierno embargaba parte de su sueldo para que la pagara, pero aun así no era suficiente. Luego, el pasado otoño apareció el Asesino de Clayton y nos dio mucho trabajo. La mayor parte de mí pensaba que era triste que tanta gente tuviera que morir para que el negocio fuera redituable, pero el Señor Monstruo lo disfrutaba de principio a fin.

Naturalmente, mamá no sabía sobre el Señor Monstruo, pero sí sabía que había sido diagnosticado con Trastorno de Conducta, que es más que nada una forma educada de decir que soy un sociópata. El término oficial es Trastorno de Personalidad Antisocial, pero no tienen permitido llamarlo así antes de los 18 años. A mí todavía me faltaba un mes para cumplir los 16, así que era Trastorno de Conducta. Me encerré en el baño y me quedé mirando el espejo. Estaba lleno de pequeñas notas y post-its que mamá dejaba para recordarnos cosas importantes; no cosas cotidianas como citas, sino "palabras de inspiración para la vida". A veces la escuchaba recitarlas para sí misma mientras se arreglaba en la mañana, cosas como: "Hoy va a ser el mejor día de mi vida", y tonterías por el estilo. La más grande era una nota que había escrito específicamente para mí compilando la lista de reglas, escritas en una hoja rayada rosa que mamá había pegado por las esquinas al espejo. Eran las mismas reglas que yo había creado hacía años para mantener al Señor Monstruo encerrado, y las había seguido bien por mi cuenta hasta el año pasado, cuando tuve que dejarlo salir. Ahora mamá se encargaba de hacérmelas cumplir. Leí la lista mientras me lavaba los dientes:

REGLAS:

- NO LASTIMAR ANIMALES.

- NO QUEMAR COSAS.

- CUANDO PIENSE COSAS MALAS
  DE ALGUIEN, ALEJAR MIS PENSAMIENTOS
  Y DECIR ALGO BUENO SOBRE ESA PERSONA.

- NO LLAMAR A NADIE "ESO".

- SI EMPIEZO A SEGUIR A ALGUIEN,
  IGNORARLO TANTO COMO ME SEA POSIBLE
  EL RESTO DE LA SEMANA.

- NO AMENAZAR A LAS PERSONAS,
  NI SIQUIERA IMPLÍCITAMENTE.

- SI ALGUIEN ME AMENAZA, ABANDONAR
  LA SITUACIÓN.

Obviamente, aquella regla de quemar cosas ya la había dejado atrás. El Señor Monstruo era tan insistente, y la supervisión de mamá tan restrictiva, que algo tenía que ceder, y fue eso. Iniciar incendios –pequeños y contenidos que no lastimaran a nadie–. Hacerlo era como una válvula de escape que liberaba toda la presión que se acumulaba en mi vida. Era una regla que *tenía* que romper si quería mantener la esperanza de seguir las otras. No le dije a mamá que lo estaba haciendo, por supuesto; la había dejado en la lista, solo que la ignoraba.

Honestamente, aprecio la ayuda de mamá, pero... se está volviendo muy difícil vivir con eso. Escupí la pasta de dientes, me enjuagué la boca y fui a vestirme.

Desayuné en la sala, viendo las noticias matutinas mientras mamá daba vueltas en el pasillo detrás de mí, tan lejos como el cable de su rizador de pelo se lo permitía.

–¿Ha pasado algo interesante en la escuela? –preguntó.

–No –contesté.

No había nada interesante en las noticias tampoco. O bueno, al menos nada de nuevas muertes en el pueblo, que usualmente era lo único que me importaba.

–¿Realmente crees que Forman quiere verme para otra declaración?

Mamá hizo una pausa por un momento, silenciosa detrás de mí. Sabía en qué estaba pensando: había cosas que todavía no le habíamos dicho a la policía sobre lo que había sucedido esa noche. Una cosa es que te persiga un asesino serial, pero otra es que un asesino serial resulte ser un demonio y se derrita hasta convertirse en ceniza y lodo negro frente a tus ojos. ¿Cómo se supone que debo explicar eso sin que me metan a un psiquiátrico?

–Estoy segura de que solo quiere asegurarse de que tengan todo bien –respondió–. Les dijimos todo lo que hay que decir.

–Todo excepto el demonio que trató de…

–No vamos a hablar al respecto –dijo mamá con severidad.

–Pero no podemos solo hacer de cuenta que…

–No vamos a hablar al respecto –repitió mamá. Odiaba hablar del demonio y casi nunca lo reconocía en voz alta. Yo estaba desesperado por hablarlo con alguien, pero la única persona con quien podía compartirlo se negaba a siquiera pensar en eso.

–Ya le conté todo lo demás infinidad de veces –insistí, cambiando de canal a la tele–. Una de dos: o sospecha algo o es un idiota.

El nuevo canal era tan aburrido como el último. Mamá se quedó pensando un momento.

–¿Estás teniendo malos pensamientos sobre él?

–Ay, mamá, por favor…

–¡Esto es importante!

–Puedo hacer esto solo –afirmé, bajando el control remoto–. Llevo haciéndolo mucho tiempo. No necesito que me recuerdes constantemente cada pequeña cosa.

–¿Estás teniendo malos pensamientos sobre mí en este momento?

–Estoy comenzando a tenerlos, sí.

–¿Y?

Puse los ojos en blanco.

–Te ves muy bien hoy –dije.

–Ni siquiera me has visto desde que prendiste la televisión.

–No tengo que decir cosas sinceras, solo cosas buenas.

–Ser sincero ayudaría…

–¿Sabes qué ayudaría? –pregunté, poniéndome de pie y llevando mi tazón vacío a la cocina–. Que dejaras de molestarme todo el tiempo. La mitad de las cosas malas en las que pienso son causadas por ti y tu obsesión de vivir persiguiéndome.

–Mejor yo que alguien más –respondió desde el pasillo, imperturbable–. Sé que me quieres lo suficiente como para no hacer algo drástico.

–Soy un sociópata, mamá, no quiero a nadie. Por definición.

–¿Eso es una amenaza implícita?

–Ay, por favor… No, no es una amenaza. Ya me voy.

–¿Y?

Regresé unos pasos hacia el pasillo, mirándola con frustración. Lo volvimos a recitar:

–Hoy voy a tener buenos pensamientos y sonreírle a todas las personas que vea.

Tomé mi mochila, abrí la puerta y me di la vuelta para verla una vez más.

–Te ves muy bien hoy –repetí.

–¿Y eso por qué fue?

–No quieres saber.

CAPÍTULO 2

Dejé a mi mamá y bajé las escaleras hacia la puerta lateral, donde nuestra casa se juntaba con la funeraria del piso de abajo. Había un pequeño espacio allí, un descanso entre las puertas y las escaleras, y me detuve un momento para respirar profundamente. Me dije a mí mismo, como hacía cada mañana, que mamá solo estaba intentando ayudar, que reconocía mis problemas y quería ayudarme a vencerlos de la única manera en la que sabía.

Antes pensaba que compartirle mis reglas me ayudaría a seguirlas, que de alguna forma me haría más consciente de ellas, pero su nivel de control era abrumador, y ahora no veía la manera de librarme. Me estaba volviendo loco.

Literalmente.

Las reglas que seguía estaban diseñadas para proteger a la gente, para evitar que hiciera algo malo y para mantenerme lejos de situaciones en las que pudiera lastimar a alguien. Y el potencial definitivamente estaba ahí.

Tenía siete años cuando descubrí por primera vez la pasión más grande de mi vida: los asesinos seriales. No me gustaba lo que hacían, obviamente, sabía que estaban mal, pero me fascinaba la manera en la que lo hacían y sus porqués. Lo que más me intrigaba no era cuán diferentes parecían ser, sino cuán similares eran, tanto entre ellos como con respecto a mí. Mientras más leía y más aprendía, empecé a apuntar todas las señales de advertencia en mi cabeza: Enuresis crónica (mojar la cama). Piromanía. Crueldad animal. Alto cociente intelectual con bajas calificaciones; infancias solitarias con pocos amigos o ninguno; tensas relaciones parentales y vidas familiares disfuncionales. Estos rasgos, junto con una docena más, son predictores de comportamientos en asesinos seriales, y yo tenía cada uno de ellos. Fue muy impactante darme cuenta de que las únicas personas con las que podía identificarme eran asesinos psicópatas.

El problema con los predictores es que nunca están escritos en piedra: la mayoría de los asesinos seriales mostraron estos signos de niños, pero la mayoría de los niños que muestran estos signos nunca se convierten en asesinos seriales. Es un proceso de varios pasos que tienes que atravesar: requiere moverse de una mala decisión a otra, hacer un poco más y luego llevarlo un poco más lejos, hasta que finalmente te descubren en un sótano lleno de cadáveres y un santuario hecho de cráneos. Cuando mi papá se fue y yo estaba tan enojado que quería matar a todos mis conocidos, decidí que ese era el momento indicado de hacer algo conmigo mismo. Entonces, me puse reglas para ser tan normal, feliz y pacífico como me fuera posible.

Muchas de las reglas se escribieron solas: "No lastimar animales"."No lastimar personas"."No amenazar animales o personas"."No pegar o patear nada."Conforme fui creciendo y me entendí mejor, empecé a hacer reglas más específicas y fue necesario acompañarlas de autocastigos: "Si quiero lastimar a alguien, tengo que halagarlo". "Si empiezo a obsesionarme con una persona específica, tengo que ignorarla el resto de la semana". Reglas como esas me ayudaban a expulsar pensamientos oscuros y evitar situaciones peligrosas.

Cuando llegué a la adolescencia, todo mi mundo cambió y mis reglas tuvieron que cambiar también para mantenerse al día: a las niñas de la escuela les crecieron las caderas y los senos, y de repente mis pesadillas ya no eran de hombres mayores gritando, sino mujeres jóvenes gritando. Entonces instauré una nueva regla: "No le veas los senos a nadie", pero he descubierto que es más fácil simplemente no mirar en absoluto a las chicas.

Lo que nos lleva al caso de Brooke.

Brooke Watson es la niña más bonita de toda la escuela, es de mi edad, vive a dos casas de la mía y puedo distinguir su aroma en medio de una multitud. Tiene el pelo largo y rubio, usa frenos y tiene una sonrisa tan brillante que me hace preguntarme por qué las otras chicas se molestan siquiera en sonreír. Sé su horario de clases, su cumpleaños, su contraseña del correo electrónico y su número de seguridad social, ninguno de los cuales tendría por qué saber. Tengo reglas anti-acoso que deberían haberme impedido saber todo eso, o siquiera pensar en ella en absoluto, pero... Brooke es un caso especial.

La cuestión es que mis reglas están diseñadas para mantener al Señor Monstruo dentro, pero tienen el brutal efecto secundario de mantener fuera a todos los demás. Alguien que se obliga a sí mismo a ignorar a las personas tan pronto como comienza a conocerlas es alguien que no va a hacer muchos amigos. Antes solía estar bien con eso, feliz de ignorar el mundo y mantenerme lejos de cualquier tentación, pero mamá tiene otras ideas, y ahora que se ha involucrado de forma activa en mi sociopatía me está llevando a situaciones que no estoy seguro de cómo manejar. Ella insiste con que la única forma de adquirir habilidades sociales es practicándolas y sabe que me gusta Brooke, así que hace que pasemos tiempo juntos cada vez que puede. Su último truco, ahora que tengo permiso de conducir, fue prestarme un coche y decirle a los papás de Brooke que yo la llevaría a la escuela todos los días. Ellos pensaron que era una gran idea, en parte porque la parada de autobús más cercana está a ocho cuadras de distancia, pero sobre todo porque no saben cuántas veces a la semana sueño con embalsamar a su hija.

Saqué mis llaves y salí en dirección al coche. Mamá había comprado el coche más barato que pudo encontrar para que yo lo usara, un Chevy Impala de 1971, color azul cielo, sin aire acondicionado ni radio FM. Estaba construido como un tanque, pero se lo trataba como a un barco de crucero, y supongo que si lo fundieras podrías hacer por lo menos tres Civics Honda, pero no me quejaba. Estaba bien tener un coche.

Brooke salió de su casa antes de que yo tuviera oportunidad siquiera de encender el coche. Siempre había querido conducir a su casa a recogerla, me parecía que era lo más educado, pero cada mañana me escuchaba encender el motor y me alcanzaba a la mitad.

–Buenos días, John –saludó, subiéndose del lado del pasajero. No volteé a mirarla.

–Buenos días, Brooke –contesté–. ¿Estás lista?

–Todo listo.

Puse en marcha el coche y aceleré, manteniendo los ojos cuidadosamente sobre el camino. No me volví a verla hasta que me detuve en la esquina al final de la cuadra y alcancé a echar un breve vistazo mientras revisaba que no pasara ningún coche. Traía una blusa roja y tenía la capa superior del cabello amarrada en una media cola. Me contuve para no mirar con mayor detenimiento lo que traía puesto, pero por el destello de piel en sus piernas supe que traía shorts. Hacía mucho calor en esta época del año y para la hora del almuerzo estaría bien, pero a esta hora de la mañana todavía estaba muy fresco, así que encendí la calefacción antes de continuar por la calle.

–¿Estás listo para Estudios Sociales hoy? –preguntó. Era la única clase que compartíamos, así que era un tema frecuente de conversación.

–Supongo –respondí–. No quería leer el capítulo sobre la presión de grupo, pero algunos amigos me convencieron de que lo hiciera.

La escuché reírse, pero no giré para ver su sonrisa. Brooke era una gran anomalía en mi vida, el nudo retorcido que revolvía todas mis reglas y desordenaba todos mis planes. Si fuera cualquier otra chica, por supuesto, ni siquiera hablaría con ella, y si alguna vez tuviera un sueño con otra chica no me permitiría siquiera pensar en ella el resto de la semana. Esa era la forma segura, la forma en la que había vivido durante años.

Debido a nuestra situación, sin embargo, tenía que estirar mis reglas para acomodarlas a mi cercanía forzada con Brooke. Había hecho una larga lista de excepciones para cubrir el área entre "ignorarla por completo" y "secuestrarla a punta de cuchillo". No podía ignorarla, pero tampoco podía quedarme mirándola, así que desarrollé un grupo de opciones aceptables:

Podía decir su nombre una vez, en la mañana, cuando se subiera al coche. Podía hablar con ella mientras conducía, pero tenía que mantener mis ojos en el camino. En la escuela podía mirarla tres veces durante la clase y hablar una vez con ella durante el almuerzo, pero eso era todo: tenía que evitarla en los tiempos entre clases, incluso si eso significaba desviarme de mi camino. No podía seguirla, ni siquiera si estábamos yendo al mismo lugar, y no podía, bajo ninguna circunstancia, pensar en ella durante el día. Si empezaba a hacerlo, me obligaba a mí mismo a recitar secuencias numéricas en mi cabeza para borrar los pensamientos: 1, 1, 2, 3, 5, 8, 13, 21, 34. Y quizá lo más importante de todo: no podía tocarla, ni a ella ni a ninguna de sus pertenencias, por ninguna razón.

Antes de hacer esta última regla incluso llegué a robarle algo, solo para tenerlo: era una pinza para pelo que por algún motivo terminó un día en el suelo de mi coche. La guardé una semana, como un amuleto de buena suerte, pero hacía que la regla de "no pensar en ella" fuera casi imposible de seguir, así que la regresé al piso y se la señalé a la mañana siguiente, como si la acabara de encontrar. Ahora rehúyo de todo, al punto de que ni siquiera toco la puerta del pasajero ("su" puerta) a menos que sea estrictamente necesario.

–¿Nunca se te pasa por la cabeza que pudiera volver? –preguntó Brooke repentinamente, interrumpiendo mis pensamientos.

–¿Quién?

–El asesino –dijo. Su voz era distante y pensativa–. Actuamos como si se hubiera ido solo porque no ha atacado a nadie en meses, pero aún no lo encontraron. Todavía está allá afuera, en alguna parte y sigue siendo… malo.

Usualmente Brooke evitaba hablar del asesino; odiaba hasta pensar en el tema. Algo debía de estar molestándole como para que estuviera hablando de eso ahora.

–Podría seguir allá afuera –respondí–. Algunos asesinos seriales pueden esperar años enteros entre un ataque y otro, como Dennis Rader, pero usualmente son un tipo diferente de asesino. Nuestro asesino era…

Casi volteo a mirarla, pero me detuve y miré al camino. Tenía que ser cuidadoso de no asustarla… Por lo general, la gente se perturba cuando se da cuenta lo mucho que sé de asesinos seriales. Incluso el agente Forman se sorprendía en las primeras entrevistas. Él era un criminólogo dedicado a hacer perfiles de asesinos, y sin embargo yo había leído un ensayo de Edward Kemper del que él nunca había escuchado.

–No sé –dije–. Es difícil pensar en eso.

–Es difícil –repitió Brooke–. No me gusta pensar en eso, pero con la señora Crowley tan cerca, es difícil de olvidar. Debe sentirse muy sola.

Revisé el punto ciego del coche justo a tiempo para cruzar miradas con Brooke.

–¿Nunca tienes pesadillas al respecto?

–No realmente –dije, pero no era cierto. Tenía pesadillas al respecto prácticamente todas las noches; era la razón principal por la que odiaba dormir. Un minuto estaba cabeceando, luchando para llenar mi mente con pensamientos felices, y al siguiente estaba dentro de la casa de Crowley, golpeando a la señora Crowley con un reloj. Tenía pesadillas en las que me encontraba al doctor Neblin, mi terapeuta, muerto en la entrada de los Crowley. Y tenía pesadillas con el señor Crowley –el mismo Asesino de Clayton– transformado inexplicablemente en un demonio, acuchillando y matando a un largo desfile de víctimas antes de finalmente ir a buscarnos a mamá y a mí. Lo había matado, pero eso solo empeoraba las pesadillas: la mayoría de ellas trataban sobre cuánto disfrutaba matar y cuánto quería volver a hacerlo. Eso era mucho más aterrador.

–No puedo imaginar lo que debió de haber sido para ti encontrarte con ese tipo –agregó Brooke–. Creo que yo no hubiera podido hacer lo que tú hiciste.

–¿Qué fue lo que hice?

¿Sabía que había matado al demonio? ¿Cómo?

–Tratar de salvar a Neblin –respondió Brooke–. Yo simplemente me hubiera echado a correr.

–Ah, sí.

Claro, no estaba pensando en asesinar, estaba pensando en salvar. Brooke siempre le veía el lado positivo a todo. No estaba seguro de que yo tuviera un lado positivo, pero a su lado podía pretender que sí.

–No pienses demasiado en eso –le contesté, entrando al estacionamiento de la escuela–. Estoy seguro de que tú hubieras hecho lo mismo, y probablemente lo habrías hecho mejor. Además, recuerda que ni siquiera lo salvé.

–Pero lo intentaste.

–Estoy seguro de que él aprecia el esfuerzo –dije, y estacioné en un lugar suficientemente grande para mi coche gigante. Era gracioso, en realidad: esta cosa probablemente pesaba más que el 99% de los vehículos ahí, aun cuando la mitad de los estudiantes llevaban camionetas.

»Bueno, ya llegamos.

Brooke abrió la puerta y salió del coche.

–Gracias por traerme. Te veré en Estudios Sociales –dijo y se echó a correr para reunirse con una amiga.

Me permití seguirla un momento con la mirada mientras se alejaba, corriendo hacia su amiga en su camino hacia el edificio de la escuela. Era preciosa.

Y estaba mucho mejor sin mí en su vida.

–Cállate –dijo Max, caminando a mi lado y dejando caer su mochila en el suelo. Max Bowen era lo más cercano que tenía a un amigo, aunque era más una cuestión de conveniencia que una amistad real. Los asesinos seriales tienden a aislarse del mundo cuando son niños, no tienen amigos o tienen muy pocos, así que me dije a mí mismo que un mejor amigo, incluso uno falso, me ayudaría a mantenerme normal. Max era el candidato perfecto: no tenía amigos por su cuenta y estaba tan absorto consigo mismo que no le importaban mis múltiples excentricidades. Max era, por otro lado, muy irritante, como su nuevo hábito de empezar toda conversación con "Cállate".

–Es un deleite estar contigo últimamente, ¿lo sabías? –dije.

–Lo dice el muerto viviente –respondió Max–. Todos sabemos que eres un gótico reprimido, ¿por qué no simplemente te vistes de negro y lo superas?

–Mi mamá me compra la ropa.

–Sí, también la mía –contestó, olvidándose de la cadena de insultos y poniéndose en cuclillas para abrir su mochila–, aunque muy pronto me va a quedar la ropa de mi papá y entonces me voy a ver increíble. Podré usar su uniforme de combate y todo.

Max idolatraba a su papá, más aún ahora que estaba muerto. El Asesino de Clayton lo había partido a la mitad justo antes de Navidad y todos en el pueblo habían sido excesivamente amables con Max desde entonces, pero yo creo que estaba mejor así. Su papá era un imbécil.

–Mira esto –dijo, poniéndose de pie y abriendo una carpeta de cartón grueso. Dentro de ella había varias revistas de cómics, cautelosamente forradas con plástico. Sacó una con cuidado y me la pasó.

–Esta es una edición limitada –explicó, colocándola con delicadeza en mis manos–. Linterna Verde edición 0, exclusiva de convención. Incluso tiene una estampilla de papel de aluminio en la esquina. Está seriada.

–¿Por qué la traes a la escuela? –pregunté, pero sabía la respuesta. Había traído sus caros cómics sin más motivo que presumirlos; no tenían ningún valor para él si se quedaban en casa en una gaveta con llave donde nadie pudiera ver lo genial que era por tenerlos.

–¿Qué es eso? –preguntó Rob Anders, deteniéndose junto

a nosotros. Suspiré. *Aquí íbamos otra vez.* Esto pasaba casi todos los días: Rob se burlaría de Max, yo me burlaría de Rob, él me amenazaría y luego iríamos a clase. A veces me preguntaba si yo lo molestaba a propósito solo para sentir la emoción del peligro otra vez, para sentir una probada del terror absoluto que había sentido en el invierno. Pero Rob no era un asesino y definitivamente no era un demonio. Sus amenazas eran superficiales y huecas. Era un chico de 16 años, por el amor de Dios. ¿Qué me iba a hacer?

–Buenos días, Rob –saludé–. Siempre es bueno verte.

El Señor Monstruo quería desesperadamente apuñalarlo.

–No estaba hablando contigo, fenómeno –dijo Rob–. Estaba hablando con tu novio.

–Es un cómic que vale más que cualquiera de tus cosas –contestó Max y lo quitó de su vista, protegiéndolo. Max siempre sabía decir exactamente lo que no tenía que decir.

–Déjame ver –ordenó Rob, y estiró la mano para tomar la revista. Max al menos fue lo suficientemente listo como para no resistirse y lo soltó inmediatamente.

–Tómalo con cuidado –dijo Max–, no lo arrugues.

–Linterna Verde –leyó Rob, sosteniéndolo enfrente de él. Su voz ahora era diferente, más deliberada de lo normal, y ligeramente más dramática. Había aprendido por experiencia que una voz como esa significaba que quien la usaba se estaba burlando de algo.

–¿Es con él con quien sueñas en las noches, Max? ¿Con el gran Linterna Verde de ensueño escabulléndose en tu habitación?

–¿No sabes hablar de otra cosa que no sea de homosexualidad? –le pregunté. Sabía que no debía confrontarlo, pero

Rob nunca me hacía nada a mí, solo a Max. Creo que seguía teniéndome miedo después del incidente de Halloween.

—Solo hablo de gays cerca de gays como ustedes —dijo, doblando el cómic y su soporte de cartón.

—Por favor no lo dobles —suplicó Max.

—¿O qué? —preguntó Rob con una sonrisa—. ¿Tu papá el soldado me va a dar una paliza?

—Guau —exclamé—, ¿de verdad acabas de burlarte de su papá muerto?

—Cállate —respondió Rob.

—Así que eres rudo porque alguien más mató a su papá —repliqué—. Hay que tener agallas para eso, Rob.

—Y tú eres un maricón —dijo, golpeándome en el pecho con el cómic.

—¿Sabes que los homófobos habladores son gays con mucho mayor frecuencia?

—¿Y tú sabes que me estás pidiendo a gritos que te destruya la cara? Aquí mismo. Me estás entregando una solicitud firmada para que te golpee —dijo Rob, con una sonrisa sarcástica.

Chad Walker, uno de los amigos de Rob, se acercó por detrás.

—Son los fenómenos —dijo Chad—. ¿Cómo están hoy, fenómenos?

—Maravillosamente, Chad —respondí, sin quitarle de encima la mirada a Rob—. Bonita camiseta, por cierto.

Rob me sostuvo la mirada un momento, luego dejó el cómic en mis manos.

—Mira bien, Chad —dijo—. Las pruebas vivientes de qué tan dañados llegan a ponerse los chicos sin padre. Dos familias disfuncionales en acción.

–Tener un padre evidentemente ha hecho maravillas contigo –repliqué.

Finalmente algo se quebró en la mente de Rob y me empujó a la altura del pecho.

–¿Quieres habar sobre disfuncionalidad, fenómeno? ¿Quieres hablar sobre cortar a la gente por la mitad? Te hacen ir a la estación de policía casi cada semana, John, ¿cuándo te arrestarán por fin por el psicópata que eres? –ya estaba gritando y otros chicos se detuvieron a mirar.

Esto era nuevo, nunca lo había hecho explotar así.

–Eres muy observador –respondí, tratando de pensar en un cumplido. No sabía qué más podía decir y el Señor Monstruo aprovechó para susurrarme algo al oído y se me escapó antes de que pudiera detenerlo–: Pero piénsalo así, Rob: una de dos, o estás en lo incorrecto, en cuyo caso todas las personas que te están mirando piensan que eres un idiota, o estás en lo correcto, en cuyo caso estás amenazando físicamente a un asesino peligroso. En cualquiera de los casos, no parece ser una movida muy inteligente.

–¿Me estás amenazando, fenómeno?

–Escucha, Rob –dije–. Tú no das miedo. He sentido miedo antes, real y genuino miedo, y tú no estás ni remotamente cerca de competir en la misma liga. ¿Por qué tenemos que pasar por esto todos los días?

–Tienes miedo de ser descubierto –contestó Rob.

–Tenemos que irnos a clase –interrumpió Chad, llevándose a Rob. Por sus ojos pude saber que estaba preocupado, que Rob había ido demasiado lejos, o tal vez yo.

Rob dio un paso atrás, me hizo una grosería con el dedo

y se alejó con Chad. Le regresé el cómic a Max y él analizó cuidadosamente el daño.

–Uno de estos días va a romper uno –dijo Max–, y entonces yo lo voy a demandar por daños. Según mi papá esas cosas valen, como cientos de dólares.

–Uno de estos días vas a dejar tus cómics de cientos de dólares en tu casa donde él no pueda romperlos –le contesté, enojado con él por atraer la atención de Rob. Yo no debería romper ninguna de mis reglas, ni siquiera reglas simples como estas. Hace un año nunca hubiera provocado a Rob así. El Señor Monstruo se estaba volviendo demasiado fuerte.

Max guardó su revista otra vez en la carpeta, y luego en su mochila.

–Te veo en el almuerzo –dije.

–Cállate –respondió Max.

a escuela estuvo, como puede uno imaginarse, aburrida, y pasé la mayor parte del tiempo pensando en el agente Forman. Él era el investigador del FBI asignado para el caso del Asesino de Clayton, y había estado viviendo en el pueblo más o menos desde el día de Acción de Gracias. Incluso después de que en marzo se fue el resto del equipo del FBI, Forman se había quedado a merodear. Nos habíamos convertido en "su" caso: fue una de las primeras personas en llegar a la escena cuando llamamos para reportar el cadáver de Neblin, y desde entonces me ha entrevistado por lo menos una docena de veces. No obstante, ya había pasado algo de tiempo desde la última vez, y yo había asumido que ya no habría más. ¿Qué quería ahora?

Ya le había contado todo lo que le podía contar, todo excepto tres cosas importantes. Primero, estaba el secreto tácito entre mamá y yo: que un demonio nos había atacado, que yo lo había apuñalado y que se había derretido hasta volverse lodo en la funeraria de la casa. Llegamos a la conclusión de que nadie en su sano juicio nos iba a creer, y nosotros no queríamos ser "los raros que dicen que vieron a un monstruo", así que solo lo limpiamos y lo mantuvimos en silencio.

El segundo secreto era algo que mamá ni siquiera sabía: el demonio que nos atacó en realidad era mi vecino, el señor Crowley. Había estado matando personas y robando partes de sus cuerpos para reponer su propio cuerpo, que se estaba cayendo a pedazos. Lo perseguí durante semanas tratando de averiguar una forma de detenerlo, aunque cuando por fin lo hice fue unos minutos tarde, –quizá solo unos segundos– y no pude salvar al doctor Neblin. Es difícil lidiar con el hecho de ser culpado parcialmente por la muerte de tu propio terapeuta, especialmente porque ya no tienes un terapeuta que te ayude a lidiar con eso. A veces la ironía te golpea así.

El tercer secreto era el mismo Señor Monstruo. Seguro, el Señor Monstruo había resultado muy útil cuando necesitaba matar a un demonio y amenazar a su esposa para atraerlo, ¿pero cómo explicarle eso a los policías? "Detuve una fuerza sobrenatural en la que no crees y de la cual no tengo evidencia gracias al poder de mi asesino serial interno que me ayudó a golpear a una anciana hasta que se desmayó. Pueden agradecerme después". Puedo tener algunos serios problemas mentales, pero no estoy lo suficientemente loco como para contarle esa historia a nadie.

Así que sí, estaba escondiéndole mucha información al agente Forman, pero la historia que le conté tenía perfecto sentido sin los secretos, y no había evidencia alguna que me vinculara a nada más: los restos de Crowley no habían sido encontrados, así que no podían probar que estaba muerto, y mucho menos que yo lo había matado. Incluso destruí los celulares que las víctimas y yo habíamos usado esa noche, solo por si acaso. ¿De qué me podía preocupar?

Después de la escuela conduje hacia la casa de Brooke –y aproveché para mirar su rostro tres veces– y luego conduje solo hasta la estación de policías en el centro, donde Forman había puesto una oficina cada vez más permanente. La recepcionista de la entrada, una mujer rubia de nombre Stephanie, me saludó con una sonrisa.

–Hola, John –saludó en cuanto entré. Se veía como de la edad de mi hermana, iniciando los veinte, pero mi hermana Lauren generalmente se encontraba más sombría y preocupada. Stephanie era como una olla burbujeante de alegría.

–Hola –contesté–. ¿Forman quería volver a verme?

–Sí –dijo mirando su lista–. Llegas justo a tiempo. Regístrate y le diré que estás aquí.

Me dio una tabla con clip para apoyarme, con un trozo de papel prácticamente vacío, y escribí mi nombre y la hora en la primera línea vacía. La cadena de metal de la pluma estaba rota, así que la trabé en la tabla y la puse de nuevo en el mostrador. La estación de policía del condado de Clayton era pequeña y básica, apenas diseñada para manejar casos de conductores bajo la influencia del alcohol o llamadas de abuso doméstico. Detrás de Stephanie estaba la gran ventana de cristal de la oficina del sheriff, y dentro podía ver al sheriff Meier –un hombre severo y cansado con un bigote largo y gris– hablando por teléfono. El cristal de la ventana estaba atravesado por cables de metal, como una valla de tela metálica, y había un agujero de bala en la sección inferior derecha. Nunca pude hacer que alguien me contara la historia de cómo llegó allí.

–Hola, John, gracias por venir –el agente Clark Forman era un hombre de baja estatura, calvo, con lentes y un bigote delgado. Extendió la mano y lo saludé mecánicamente.

–¿Y ahora por qué me llaman? –pregunté mientras lo seguía hacia el cuarto lateral donde había improvisado su oficina. Su "escritorio" era demasiado grande y grueso, y asumí que en sus inicios era una mesa de conferencias. Bajo el cuidado de Forman se había llenado de papeles sueltos, de gordas carpetas, pilas de fotografías y más. Había un mapa del condado colgado en una pared, con cada una de las probables escenas del crimen del Asesino de Clayton marcada con una tachuela. Siempre me daba satisfacción ver que no había ninguna tachuela en el lago; esa era una de las víctimas de Crowley de las que yo sabía y que ellos todavía no encontraban. No podía decirles nada sobre ella sin incriminarme a mí mismo, por supuesto, pero no estaba entorpeciendo una importante investigación. El asesino que ellos buscaban ya estaba muerto.

–Toma asiento –pidió Forman, señalando una de las sillas arrinconadas en la sala de conferencias. Sonrió mientras jalaba una silla y me sentaba, y apuntó a su ventana–. Hace un gran clima hoy. ¿Tu mamá te está esperando afuera?

–Vine en coche.

–Cierto –dijo, asintiendo con la cabeza–. Ya tienes permiso de conducir. Vas a cumplir 16 en… ¿dos meses?

–Uno más.

–Ya casi, entonces –dijo–. No te preocupes, pronto tendrás una licencia de verdad y andarás por ahí aterrorizando las calles.

Ahí estaba esa frase: "Aterrorizando las calles". Nunca la había escuchado en toda mi vida hasta que empecé a tomar clases de conducir, y ahora la había escuchado cuatro veces en el último mes. Era una de esas frases de relleno que no significaban nada, solo era algo que escupía la gente cuando no se tomaban el tiempo para pensar. Me pregunté cuánto de esta conversación iba a ser realmente pensado, y cuánto iba a ser parloteo de relleno.

–¿Para qué me necesitas esta vez? –pregunté.

–Solo un seguimiento de rutina –explicó, luego esperó un momento antes de tomar una carpeta y extraer una fotografía–. Primero quiero saber tu opinión de algo, aprovechando que estás aquí. Esto va a estar en las noticias en unas pocas horas, así que no es información confidencial –deslizó la foto por la mesa y se podía ver incluso desde lejos que se trataba del rostro de un cadáver. Sus ojos estaban abiertos, pero sin brillo ni vida.

Otro cadáver. Y eso significaba que había otro asesino. Sentí una oleada de emoción hirviéndome en el pecho y me mareé un poco. Otro asesino. Miré a Forman.

–¿Aquí en Clayton?

–No es de aquí, no. Pero aquí la encontramos. Recién esta mañana.

Me incliné hacia delante para verla más de cerca, observando su piel pálida, su mandíbula floja, su pelo fibroso. Había una mancha de algo negro en su mejilla, y otra en su frente. Trozos de corteza, tal vez.

–Estaba bajo el agua –dije, mirando la foto–. Tiene sedimento en todas partes. La extrajeron del lago.

–De un canal de riego –explicó Forman.

–¿Saben quién es?

–No todavía –respondió, mirando primero la foto y luego a mí–. No sabemos mucho realmente, excepto que el cuerpo estaba cubierto de pequeñas heridas: quemaduras, abrasiones, pinchazos, ese tipo de cosas.

–¿Y hay alguna pieza que falte? –pregunté. El Asesino de Clayton siempre se llevaba algo de sus víctimas, una extremidad o un órgano. La policía creía que se trataba de un asesino serial guardando recuerdos de sus víctimas, pero en realidad era un demonio que se estaba muriendo y utilizaba las piezas de los cuerpos de otras personas para reemplazar las propias. El señor Crowley en teoría estaba muerto, yo lo había visto morir, pero ¿y si *había regresado*? Tal vez podía regenerarse aún mejor de lo que yo creía.

¿O si se trataba de otro demonio?

–¿Creerás que lo primero que buscamos nosotros también fueron órganos faltantes? –preguntó Forman–. La víctima no se parecía en nada a las víctimas del Asesino de Clayton, la escena era diferente, los métodos parecían ser diferentes y sin embargo... –negó con la cabeza, luego me enseñó otra foto de un pie ennegrecido–: Esta es la misma víctima. Creemos que ese agujero en la planta del pie es una herida eléctrica, y probablemente la causa de muerte. Así que no, realmente no hay similitudes, pero pensamos que... No sé, tal vez queríamos que fuera él, porque eso habría significado que solo hay un asesino con el que debemos lidiar. Pero al final, no, no le faltaba nada. No hay evidencia que nos permita vincular este homicidio con ninguno de los del invierno.

Estudié la foto, analizando la situación en mi mente. Después de un momento, levanté la vista hacia él.

–Decías que querías mi opinión –dije–: Si esto no está relacionado con los otros asesinatos, ¿qué tiene que ver mi opinión en todo esto?

–Era un último recurso, en realidad –aclaró Forman, tomando la foto–. Tú eres el único testigo que vio bien al Asesino de Clayton y vivió. Ya has declarado que no viste ningún arma, pero a la luz de este nuevo cadáver me preguntaba si tal vez podías recordar haber visto alguna herramienta. ¿Tal vez un cinturón de trabajo?

–¿Qué clase de herramientas?

–Bueno –dijo, poniendo la foto en la mesa otra vez y apuntando al hombro del cadáver–. Por ejemplo, pensamos que esta herida fue hecha con un destornillador.

Miré más de cerca; la herida era pequeña, apenas un punto en la piel, pero si sospechaban que se trataba de un destornillador posiblemente era un pinchazo profundo. Una imagen pasó por mi cabeza, más visceral que visual, y me imaginé a mí mismo apuñalando a alguien con un destornillador, sintiendo cómo se hundía en el músculo y se sacudía al chocar con el hueso. El Señor Monstruo sonrió, pero yo mantuve mi rostro en blanco y alejé el pensamiento.

El agente Forman me miraba, esperando.

–Nada que pueda recordar –respondí. Sabía con seguridad que no era el mismo asesino, pero tenía que ser cuidadoso para no delatarme–. Ciertamente no había nada como un cinturón de herramientas, pero hacía frío y él llevaba un gran abrigo, como dije. Podría haber tenido cualquier cosa en esos bolsillos.

–Piénsalo bien –insistió Forman, mirándome fijamente–. Trata de recordar algo, incluso cosas a las que no considerarías armas: una navaja de bolsillo, un par de pinzas, un encendedor.

Respiré profundamente. ¿Realmente este cuerpo había sido herido por todas esas cosas? ¿Qué clase de daño harían, y cómo tendrías que usarlas para que funcionaran? ¿Funcionarían en un ataque o la víctima tenía que ser atada primero?

Forman seguía mirándome.

–No recuerdo haber visto algo así –dije–. Solo era un hombre en un abrigo; ni siquiera vi el cuchillo que usó para matar al doctor Neblin.

–Entiendo –respondió Forman, tomando otra vez la foto y guardándola en la carpeta–. Era una apuesta arriesgada, pero pensé que ya que estabas aquí valía la pena preguntar.

Quería –necesitaba– ver el cadáver de cerca. Y aun cuando Forman estaba siendo muy abierto, sabía que no me iba a llevar a ver el cuerpo, pero cuando acabaran con la autopsia forense probablemente lo mandarían a la funeraria para embalsamarlo. Si lo hacían, podría verlo entonces.

¿Y si en la autopsia encontraban un órgano faltante? ¿Eso significaría que era un nuevo demonio? El señor Crowley mataba porque se estaba muriendo, y robar órganos le ayudaba a mantenerse vivo, ¿pero y si el nuevo demonio mataba por otras razones? ¿Y si simplemente lo disfrutaba? Tuve un escalofrío de solo pensarlo.

Pero entonces, si no mataba para mantenerse con vida, no habría razón alguna para robar órganos. Así que bien podría ser un demonio incluso si no faltaba nada.

Alejé el pensamiento de mi cabeza. Un cadáver no era suficiente ni siquiera para formar un patrón, menos para hablar de un asesino serial, y mucho menos para hablar de un asesino serial demoniaco. Probablemente era solo un homicidio estándar, un asesinato en un asalto a mano armada, o una disputa doméstica que salió mal. Era bastante común en el resto del mundo, e incluso en un pequeño pueblo como Clayton la gente tenía que morir tarde o temprano. Después de todo, si podíamos tener asesinos seriales sobrenaturales, podíamos tener cualquier cosa. Miré al agente Forman y lo vi sentado serenamente, observándome.

–Lamento haberte quitado tanto tiempo –dijo–. ¿Todavía tienes un minuto para la razón real por la cual te llamé?

–Claro –respondí. Traté de concentrarme por un momento, olvidándome de mis pensamientos sobre demonios y cadáveres y asesinos seriales. Ya habría tiempo para eso después.

–Solo cosas de rutina, como te digo –Forman sacó otra hoja de una pila y la miró–: Es un cuestionario estándar, realmente; pero coincidió que tenías tu cita de seguimiento programada en un día particularmente interesante. Afortunado tú.

Sí. Realmente afortunado.

–¿Recuerdas algo nuevo sobre la noche en la que llamaste a la policía?

–No.

–¿Recuerdas algo nuevo sobre el hombre que viste esa noche, que crees que era el Asesino de Clayton?

–No.

–¿Recuerdas algo nuevo sobre el cadáver que extrajiste del coche, del doctor Benjamin Neblin?

–No.

Forman levantó la vista.

–¿Estás completamente seguro? Hemos examinado el cuerpo en detalle, por supuesto, pero tú lo viste antes de moverlo, ¿estaba acomodado de alguna forma en particular, o había algo encima de él?

–No –respondí–. Solo estaba desplomado en el asiento del pasajero. No se le veía la cara, así que no lo reconocí al principio, pero eso ya te lo había contado.

–Cierto –dijo Forman, asintiendo–. Solo una pregunta más: ¿recuerdas algo nuevo sobre tus propios sentimientos de esa noche? ¿Por qué hiciste lo que hiciste, qué pasó por tu cabeza, esa clase de cosas?

–Probablemente lo recuerdo peor que en ese momento –dije.

–Entonces eso es todo –anunció–. Lamento ser tan antipático, pero esto es realmente todo lo que tenía para ti hoy. Si recuerdas algo nuevo, no dudes en llamarme.

–Por supuesto.

–Excelente –dijo, y se puso de pie.

–Bueno, hasta entonces.

Me paré y le di la mano. Mi mente ya estaba dando vueltas a toda velocidad, evaluando las posibilidades. ¿Acaso el nuevo asesino estaba conectado con Crowley, y a través de él, conmigo? ¿Era el mismo Crowley que había regresado de la muerte? ¿O era algo completamente nuevo? Paralelamente, el Señor Monstruo también estaba pensando, ordenando los hechos y construyendo un plan; donde yo veía peligro, el Señor Monstruo veía a un rival. Yo había matado al último asesino que había venido a Clayton, y el Señor Monstruo quería más.

En mis sueños me perseguían, no con pistolas o cuchillos o garras, sino con hojas de papel, delgadas e inmateriales, que pasaban de una persona a otra como un virus. Empezaba con el agente Forman, que agitaba el papel en mi cara y yo sabía, en la irónica lógica de mis sueños, que era mi orden de arresto, mi condena y mi sentencia de muerte, todo en uno. Me daba la vuelta para echarme a correr pero ahí estaba el sheriff Meier, agitando el mismo papel, y al lado de él estaban Rob Anders y Brooke, cada uno con un papel igual. Salía corriendo y me encontraba a Max, a mi hermana, a mi tía, incluso a mi mamá y el resto del pueblo detrás de ellos, todos avanzando hacia mí lentamente con sus intangibles e invencibles papeles. No estaban enojados, no estaban tristes, estaban… desilusionados, quizá. Traicionados.

Lo había hecho por ellos, y ahora iban a matarme.

Nunca dormía mucho, pero después de reunirme con Forman empecé a dormir aún menos. Mamá y yo mirábamos las noticias, escuchábamos los argumentos y toda la especulación sin información real sobre el nuevo cadáver, y luego ella se iba a dormir y yo me quedaba despierto viendo un programa de entrevistas o una película nocturna, y cuando ya no había nada tolerable que ver en la televisión, me iba a mi habitación a leer libros, revistas, o cualquier cosa que pudiera encontrar para mantener mi mente activa, porque tan pronto como me quedaba dormido, perdía el control y algo se apoderaba de mí. Algo profundo y oscuro.

Porque cuando no estaba usando mi cabeza, el Señor Monstruo la usaba.

Los pensamientos del Señor Monstruo eran como el sonido de estática de fondo de mis propios pensamientos. Cuando había algo más que los ahogara eran solo un ligero zumbido, pero en cuanto se desvanecían mis otras distracciones la estática se escuchaba más fuerte, más dura y más caótica. Ese desordenado ruido blanco degeneraba en formas y sonidos de pesadilla, en cadáveres y extremidades y gritos que no me dejaban descansar. A las tres, o a veces a las cuatro de la mañana, me rendía a ellos, esperando obtener al menos un poco de descanso, aunque fuera irregular, antes de que mamá me despertara a las seis y media y empezara un nuevo día. Durante esas pocas horas el Señor Monstruo reinaba, y yo era la cautiva audiencia de sus horrores.

La policía mantenía oculta su investigación y no revelaba casi nada sobre los resultados de la autopsia. Si había una parte del cuerpo robada que vinculara a esta víctima con otro demonio, no lo sabía. Estaba sediento de datos, pero no había ninguno disponible.

Tendría que regresar pronto al almacén. Necesitaba quemar algo con urgencia.

—Cálmate —dijo Margaret mientras cortaba lechuga en la cocina—. Actúas como si no la hubieras visto en años.

—Apenas la he visto —respondió mamá, acomodando los cubiertos en la mesa—. No de forma social, quiero decir. La funeraria no cuenta, apenas hablamos ahí.

Era el Día de la Madre, y mi hermana vendría a cenar. No era cualquier cosa, porque nunca venía a nada. Incluso yo cociné un pastel.

La cocina se había vuelto uno de mis múltiples pasatiempos diseñados para ocupar mi mente y mantener a raya al Señor Monstruo. Mamá era una gran fan de los programas de comida, y yo era un gran fan de la comida, así que un día, cuando estaba fantaseando con cadáveres e intentando vaciar mi cabeza me encontré con un programa especial sobre galletas con chispas de chocolate y decidí seguir las instrucciones. A partir de ese momento se volvió algo habitual, y en poco tiempo ya estaba preparando toda clase de comida para desayunar, comer y cenar. Como de todas formas mamá nunca había sido una gran cocinera, no le importó.

El pastel ya estaba listo y enfriándose en la encimera de la cocina, así que me puse a hojear el periódico. Me dio gusto saber que Karla Soder había sido admitida al hospital para cuidados prolongados: era una de las personas más viejas de Clayton, y llevaba un rato esperando que se muriera. No habíamos embalsamado a nadie en más de un mes.

—Lauren estuvo aquí en Navidad —le recordó Margaret, acomodando los cubiertos—, y en nuestro cumpleaños.

—Llegó media hora tarde a la fiesta de cumpleaños y se fue temprano —dijo mamá—. Por supuesto que *tú* no estás nerviosa, tú le caes bien. ¿Tienes una idea de lo que es ser rechazada por tu propia hija?

—Solo no lo exageres —dijo Margaret y colocó la lechuga en un plato de ensalada—. No trates de ser su madre, solo sé su amiga y avanza desde ahí.

—Tal vez *necesita* una madre —respondió mamá, poniendo una rodaja de tomate en cada pila de lechugas—. Ni siquiera sé lo que hace fuera del trabajo.

Tocaron a la puerta y las dos mujeres se congelaron. Yo me cambié de lugar en el sofá para tener una mejor vista hacia la entrada.

—Pasa —dijo mamá—. No tiene seguro.

La puerta se abrió y Lauren entró, sonriendo como no la había visto en mucho tiempo. Mamá le devolvió la sonrisa, con los ojos muy abiertos, como si no supiera qué era tan grandioso como para ameritar esa sonrisa pero no estuviera dispuesta a perder la oportunidad de celebrarlo.

—¿Adivinen qué? —exclamó Lauren, prácticamente bailando. Mamá negó con la cabeza confundida, y Lauren señaló hacia la puerta abierta. Se escuchaba a alguien allá afuera, esperando.

—Traje a alguien para que lo conozcan. Por favor, saluden a mi novio, Curt.

Un hombre enorme atravesó la puerta y cargó a Lauren en un gran abrazo, meciéndola en el aire mientras ella gritaba, luego la dejó en el suelo y le sonrió lobunamente a mamá y a Margaret. Era alto y robusto, como un jugador de fútbol, con pelo corto y rubio y una franja tosca de barba rubia.

Lo odié instantáneamente.

–Lauren quería sorprenderlos –explicó–, así que pensé que yo también podía hacerlo emocionante. Guau, son gemelas.

Volteó a mirar alternadamente a mamá y a Margaret, comparándolas, y luego se rio con fuerza.

–Me rindo. ¿Quién es la mamá de Lauren?

Mamá dio un paso al frente, tratando de guardar la compostura, y le dio la mano.

–Esa soy yo –saludó–. Mucho gusto en conocerte… –hizo una pausa, intentando recordar su nombre.

–Curt –respondió–, con C, como Curtis, pero abofeteo a quien me llame así.

Se rio de nuevo, sociable y autoritario. Era alguien acostumbrado a ser el centro de atención.

La cara de mamá se había vuelto una máscara, dura y sonriente, lo que significaba que estaba molesta y trataba de ocultarlo. Volteé a mirar a Lauren para ver si ella lo notaba, pero estaba muy ocupada sonriéndole a Curt. Me volví a mirar a mamá y la vi caminar con rigidez a la mesa.

–Esto es una gran sorpresa –dijo–. Tendremos que… poner otro lugar. Margaret, ¿podrías poner otro plato, por favor?

Mientras ellas hacían los cambios pertinentes en la mesa, tratando de encontrar el mejor lugar para una quinta persona, Lauren finalmente me notó.

—¡John! —exclamó, tomando a Curt del hombro para que volteara hacia la sala. Él se resistió unos segundos, apenas unos segundos para que fuera obvio que era su propia elección voltear y no la de Lauren.

—Curt, él es mi hermano menor, John. Te he contado de él.

—Nada bueno —contestó Curt y me guiñó el ojo. Me quedé mirándolo, sin saber qué decir—. Guau, tenemos a un tímido aquí —dijo Curt, riendo—. No te preocupes, campeón, no muerdo… duro —se rio otra vez y le dio un codazo a Lauren ligeramente más duro de lo que era estrictamente necesario. Mis reflejos aparecieron y empecé a pensar en un halago para hacerle.

—Qué bonita camiseta —dijo mamá, y giré para mirarla con extrañeza. Ella también me miró, se encogió de hombros y regresó a lo suyo.

—John, cariño, ¿puedes traer la silla plegable de mi computadora?

Fui por la silla a su habitación mientras Curt presumía los méritos de su camiseta. Llevé la silla a la cocina y la puse al lado del asiento de Lauren, dejando que ese lado de la mesa quedara ligeramente apretado con dos sillas. Curt, sin siquiera mirarme, se sentó en la cabecera de la mesa, y Lauren se sentó del otro lado. Lo fulminé con la mirada y me senté yo mismo en la silla plegable; era un poco más baja que el resto de las sillas y me sentía enano e incómodo.

Cada regla que tenía me exigía que hiciera algo, que lo halagara, le diera la mano, le enseñara cuán normal era yo, pero no podía hacerlo. Algo de él me enojaba mucho, pero no podía descifrar qué era exactamente. Era grosero, ruidoso y tosco, ciertamente, pero conocía a mucha gente así con la que podía hablar bien. ¿Por qué Curt era diferente? Su comentario de que yo era muy tímido para hablar me había desquiciado, pero no lo había corregido; si creía que era tímido quizá me dejaría en paz y podría ignorarlo, aunque eso parecía más difícil aún que conversar con él, porque prácticamente no dejaba de hablar.

–No puedo creer que siga conduciendo ese trozo de chatarra –dijo, señalando con el pulgar en dirección a la calle y negando con la cabeza–. Era una linda furgoneta cuando la compré, pero ahora ya es una antigüedad, me da vergüenza que me vean en ella.

–Solo tiene cuatro años –respondió Lauren–, y está increíble.

–Puede ser que sea suficientemente buena para ti –contestó–, pero no has visto las nuevas. Sé que es japonesa, pero el nuevo modelo de camioneta que tienen en el lote hacen ver a esta como un trozo de basura. Por dentro, la nueva es como un coche de lujo: puedes programar el lugar del conductor para que se ajusten el asiento, el volante y los espejos automáticamente, así no tendría que arreglarlo yo cada vez que la bajita de aquí lo use –dijo haciendo una seña hacia Lauren con una sonrisa.

Lauren se rio con el comentario y Margaret parecía estar escuchando atentamente, pero mamá seguía en la mesa de la cocina distribuyendo con cuidado las cuatro ensaladas en cinco platos. Vi cómo ponía cada hoja de lechuga con lentitud, deliberadamente, no para ganar tiempo sino honestamente tratando de hacer que cada ensalada se viera lo mejor posible. Su boca era una sonrisa congelada: estaba determinada a hacer que esta cena funcionara.

–Los asientos son todos de piel y tienen calefacción –continuó Curt–, y el sistema de sonido tiene Bluetooth de forma estándar, no opcional.

–Los asientos de tu camioneta son de piel –le recordó Lauren.

–Pero no tiene calefacción –replicó Curt y volteó a mirarme–. Ella no sabría reconocer un buen coche aunque lo tuviera delante, ¿eh, campeón?

Mamá llevó las nuevas ensaladas a la mesa, las pasó y luego se sentó a mi lado y tan lejos de Curt como le fue posible. Era el único asiento que quedaba, claro, pero por la forma en la que se sentó sutilmente de lado, centrándose en Lauren en vez de en él, pude adivinar que estaba agradecida por la distancia.

–Coman –dijo–. El pollo estará listo en cuanto terminemos con las ensaladas.

–Lauren no lo cocinó, ¿verdad? –preguntó Curt, sonriendo como un gato. Lauren sonrió y negó con la cabeza–. Es hermosa –dijo–, pero no puede cocinar ni aunque se trate de vida o muerte.

Mamá dejó el tenedor bruscamente, mirando a Curt.

–Esa no es forma de hablar de tu novia.

–Ey, yo solo estoy diciendo lo que veo –contestó Curt, encajando el tenedor en otro trozo de lechuga y sacudiendo la cabeza con desdén. Él ya había pasado a otra cosa; si notó el enojo de mamá, no lo demostró.

Mamá iba a empezar a hablar de nuevo, aprovechando el momento de silencio mientras Curt masticaba, pero Margaret le echó una mirada y negó con la cabeza casi de manera imperceptible.

Mamá y Margaret se podían comunicar sin intercambiar una sola palabra, después de compartir tanto tiempo juntas. Mamá le devolvió la mirada, se le ensancharon las fosas nasales y podía asegurar que estaba enojada. Lauren estaba mirando a Curt e ignorando a las dos mujeres.

–Claro, puede hacer bien una bolsa de palomitas –siguió Curt con una sonrisa–. Es solo que cualquier cosa que requiera un horno la mete en problemas.

–Tú recuerdas lo mala que soy cocinando –dijo Lauren–. ¿Recuerdas la vez que traté de hacer brownies en la secundaria, que terminaron quemados en las orillas y crudos en el medio?

–Sí, todavía hace eso –explicó Curt, tomando su vaso de agua y dándole un largo trago. Me parecía fascinante la forma en la que él le contestaba a Lauren en tercera persona, respondiendo sus comentarios directamente pero sin mirarla ni dirigirse a ella, o a cualquiera de nosotros, en verdad. No estaba hablando con nosotros, ni individualmente ni como un grupo, simplemente estaba hablando, y nosotros éramos su audiencia más cercana. El Señor Monstruo estaba atento, dando vueltas inquieto dentro de mi mente. No soportaba su fanfarronería y moría por aplastar su careta de seguridad y confianza y hacerlo llorar de terror; quería hacerlo suplicar por misericordia.

Me metí en lo más profundo de mí, forzándome a ignorar a Curt y la cena. Pensé en vez de eso en el agente Forman y me pregunté cuál era su plan. ¿Me veía a mí como un sospechoso o tenía otros? ¿Sospechaba algo o solo trataba de asustarme para que revelara alguna otra información? Nada que me incriminara, quizá, pero algo que pudiera darle una pista que no hubiera visto hasta ahora. Había demasiadas preguntas sin contestar en este caso y sabía que debían estar molestándole más y más conforme pasaba el tiempo. ¿Cuánto tiempo había estado atada la señora Crowley? ¿Podía la misma persona haber hecho eso *y* matado al doctor Neblin? ¿Por qué no habían encontrado el cuerpo del señor Crowley, cuando en todos los previos asesinatos el asesino dejaba el cadáver desmembrado? Incluso si Forman no sospechaba que yo lo hubiera hecho, debía sospechar que sabía más de lo que estaba diciendo.

—En realidad —dijo mamá—, John hizo el pastel.

Levanté la mirada y vi a los cuatro observándome. ¿Cuánto me había perdido?

—¿Jim? —preguntó Curt.

—John —corrigieron mamá, Margaret y Lauren al unísono.

Asentí.

—No lo puedo creer —dijo Curt—. ¿Tarea para alguna clase?

—En realidad es prácticamente el único que cocina aquí —contestó mamá—. Es realmente bueno y le gusta hacerlo.

—Cocinar —dijo Curt, apretando el puño en un gesto de burlona solidaridad—. Una actividad muy varonil.

—Lo es —respondió Lauren. Era la primera vez que la escuchaba tomar un tono desafiante con Curt—. Me gustaría que tú me cocinaras alguna vez.

—Eso es porque no hay buenos restaurantes en este ridículo pueblo —contestó Curt.

—Y —insistió Lauren—, es porque las mujeres apreciamos que los hombres se tomen el tiempo para hacer cosas por ellas.

—Te compré ese par de zapatos —dijo Curt.

—Me *encantan* esos zapatos —respondió Lauren, echando la cabeza hacia atrás de éxtasis.

—Eso espero —dijo Curt riéndose—, porque salieron caros.

—Vamos a tener una fila de niñas tocando nuestra puerta cuando se enteren lo bien que cocina John —exclamó mamá, recogiendo los platos de ensalada.

—Bueno, ¡venga pues! —dijo Curt, abriendo los brazos—. La comida hecha por hombres suele ser mejor de todas formas, ¿no? No lloriqueamos por las calorías y las grasas y mierdas así, solo grandes pilas de buena comida.

Volteó a ver a la encimera de la cocina y olfateó profundamente.

—¿También hizo el pollo?

Mamá y yo nos miramos, repentinamente precavidos sobre qué decir. Había dejado de cocinar carne hacía seis semanas porque arruinaba todo el punto y en vez de alejar mi mente de cadáveres, me hacía pensar en ellos más y más, cortando la suave carne roja con un cuchillo de carnicero y aplastando mis dedos en montículos sangrientos de carne molida. Opté por dejar de cocinar y de comer carne.

—John es vegetariano —explicó mamá.

Yo no me pensaba realmente en esos términos. "Vegetariano" suena mucho más ferviente que decir simplemente "No come carne". No es como que yo creyera que la carne era asesinato o algo así, simplemente… bueno, supongo que sí lo creía. Para mí, al menos. ¿Pero cuántos otros vegetarianos fantaseaban con asesinar su propia carne?

—¡Vegetariano! —gritó Curt—. ¿Qué demonios pueden poseer a un hombre sano para que haga eso?

Es para que no lastime a idiotas como tú, pensé.

—Él hace los postres y yo hago la mayoría de las comidas —dijo mamá, mientras pasaba las pechugas de pollo del molde para hornear a cada uno de los platos en la encimera—. Yo ya casi no como carne, tampoco; es más fácil que hacer dos comidas distintas, pero todavía me gusta hacerla para ocasiones especiales.

Al lado de cada plato puso una cucharada de arroz para acompañar y los colocó de dos en dos en la mesa; el último en llegar fue el mío, que en vez de carne tenía una sopa de lentejas que realmente me empezaba a gustar.

—Amigo —dijo Curt, inclinándose con seriedad hacia la mesa y mirándome fijamente—. Eso ni siquiera es comida. Eso es lo que la comida come.

Soltó una carcajada frente a su propio chiste, y Lauren también se rio. Margaret sonrió educadamente, y pude ver por la forma en la que sonreía —torciendo el borde de los labios pero sin mover ningún músculo alrededor de los ojos— que solo estaba simulando poner atención y realmente no le importaba nada de lo que decía Curt. Yo sonreí, y me comí un bocado de brócoli.

—En serio —insistió Curt, mirando a Lauren—. A lo mejor debas comer lo mismo que él; nunca vas a caber en tus jeans apretados si sigues comiendo así.

—De verdad —exclamó mamá, dejando caer su tenedor en el plato—. ¿Quién habla así?

—Es cierto —explicó Lauren—, llevo meses sin que me queden mis pantalones ajustados, Curt ni siquiera me ha visto con ellos.

–Eso no es excusa para que te hable así –dijo mamá.

–No necesito una excusa cuando es cierto –contestó Curt.

Pude ver por la forma en la que estaba sonriendo que creía que estaba diciendo algo gracioso; una broma para cortar la tensión. Increíble... hasta yo sabía que decir eso era algo estúpido.

–Está sentada aquí mismo –insistió mamá, señalando a Lauren–. ¡Muestra un poco de cortesía, por el amor de Dios!

–Sabía que esto iba a pasar –dijo Lauren, cerrando los ojos–. Demonios, mamá, ¿no puedes ser educada durante una cena? ¿Durante media cena? No llevamos aquí ni veinte minutos.

–¿Soy yo la que no está siendo educada? –preguntó mamá–. Él no ha dejado de insultarte desde que llegaron aquí.

–¡Ay, por favor! –gritó Lauren, tirando su servilleta y poniéndose de pie–. ¡Está tratando de darle un poco de vida a este lugar! El resto de ustedes está muerto, ¡John ni siquiera ha dicho una sola palabra en todo este tiempo!

Eso no es porque esté muerto, es porque soy listo.

–Lauren me dijo que ustedes dos no se llevaban bien –dijo Curt, mirando a mamá–, pero no sabía qué tan mal se llevaban.

–Increíble –exclamó mamá, cruzando los brazos y mirando a Lauren–. Es el hombre más sensible del mundo. ¿Dónde encontraste este gran partido?

–No te atrevas a hablarme sobre elegir hombres –respondió Lauren, apuntando con el dedo a mamá–. No te atrevas a decirme que eres una clase de experta en esto cuando tú has tomado las peores decisiones.

—No tengo por qué soportar esto —dijo Curt, poniéndose de pie—. Ni tú tampoco.

Tomó a Lauren del codo y la hizo dirigirse a la puerta.

—¡No te atrevas a irte! —gritó mamá.

—¿Por qué diablos me quedaría? —gritó Lauren. Se separó del agarre de Curt y regresó enojada hacia la mesa—. Me has tratado de menos toda tu vida, como si fuera una especie de... ni siquiera sé qué piensas de mí. ¿Soy capaz de tomar buenas decisiones en absoluto? ¿O soy solo una máquina de errores que dice cosas estúpidas todo el día?

—¿Cómo se supone que deba hablar contigo cuando tienes esa actitud? — dijo mamá cruzándose de brazos.

—Lo que *menos* necesito es que me hables —respondió Lauren. Curt volvió a tomarla del codo y la guio hacia la puerta, ominosamente sereno ahora que las dos mujeres estaban peleando. Esta vez Lauren no se zafó, la llevó hacia afuera y cerró la puerta tras él.

—¡Regresa aquí! —gritó mamá. Luego se volteó y azotó la palma de la mano tan fuerte como pudo en la puerta de un clóset—. No otra vez —sollozó—. La he vuelto a perder.

Se cubrió el rostro con las manos, apoyada sobre el clóset, y lloró.

CAPÍTULO 5

Habían pasado casi seis horas cuando mamá finalmente se fue a dormir y yo me escabullí de casa, tomé mi bicicleta y me fui directo al viejo almacén. Mamá pasó todo ese rato sollozando y hablando con Margaret, repasando la situación mil veces: Lauren estaba bien, Lauren estaba mal, Lauren estaba cometiendo un gran error, y así hasta el cansancio. Yo me escondí en mi habitación y me puse mi pasamontañas para cubrirme los oídos y amortiguar el ruido.

Era justo como en los viejos tiempos, cuando todos peleaban, todos lloraban y todos salían de nuestras vidas tan rápido como podían. Era como en los viejos tiempos pero peor: tenía a Forman intentando meterse en mi cabeza y al Señor Monstruo desesperado y rasguñando para que lo dejara salir. No sabía cuánto más podía soportar antes de que perdiera el control. Los planes parecían formarse por sí mismos en mi cabeza: cómo encontrar el lugar donde vivía Curt, cómo incapacitarlo, cómo cortarlo lenta y cuidadosamente con el fin de causarle la mayor cantidad de dolor posible. Comencé a dar vueltas en la habitación y a cantar fragmentos de cualquier canción que recordaba: viejas canciones que solía escuchar mi papá, nuevas cosas que Brooke ponía en el radio en la mañana... Cualquier cosa para llenar mi mente y mantener mis pensamientos tan alejados y muertos como me fuera posible. Nada funcionaba.

Era la *necesidad*, el ansia desesperada que crecía dentro de un asesino serial y lo llevaba a matar. ¿Qué era? ¿De dónde venía? Siempre había sido capaz de controlar mi lado oscuro y había sabido mantenerlo encerrado por años, pero ahora era más fuerte. Había matado a un demonio y el Señor Monstruo había probado la muerte por primera vez, y ahora quería más. ¿Todavía podía controlarlo? ¿Qué tan fuerte podía ponerse? ¿Qué tan intensa llegaría a ser la necesidad antes de que explotara y matara a alguien más, a mamá, a Margaret o a Brooke?

Estuve dando vueltas en mi habitación, me sentía encerrado; las tiras de mis cortinas eran como barrotes, y si miraba entre ellas podía ver la casa del señor Crowley, grande y oscura. ¿Cuántas noches había perdido arrastrándome por las paredes, espiando por la ventana, estudiando a mi presa? Extrañaba esa parte de mi vida, la extrañaba físicamente, como un miembro fantasma que todavía me picaba intrusivamente. ¿Podría hacerlo de nuevo? Pero Crowley era un demonio, no una persona; estaba bien acosarlo porque era para un bien mayor. Había sopesado las implicaciones cuidadosamente y había tomado una decisión, pero ahora no podía justificar esa clase de conducta para algo menor.

Pero ¿y si *había* un nuevo demonio?

Era tonto asumir que Crowley era el único, pero también era tonto asumir que todos funcionaban de la misma forma. Al nuevo cadáver no le faltaba ninguna pieza, pero sí tenía una docena de heridas menores y una herida grande –la única– en el pie. ¿Había acaso algún tipo de nueva amenaza sobrenatural que necesitaba electrocutar a las personas para mantenerse con vida? ¿Y el hecho de que la víctima era una mujer sugería, de alguna forma, que el demonio también lo era?

Pero no, así como era un error asumir que todos los métodos de los demonios eran iguales, tampoco podía asumir que sus motivos eran iguales. El señor Crowley había matado a hombres con una constitución física similar a la suya porque necesitaba reemplazar partes de su propio cuerpo. Se trataba de un asunto de supervivencia. El nuevo demonio podía estar matando por comida, deporte o para expresarse a sí mismo; había un sinfín de posibles razones. Igual que yo, el demonio podía tener una necesidad, algún tipo de agujero emocional que necesitara llenar.

¿Cómo podía descubrir la necesidad del demonio si ni siquiera sabía cuál era la mía?

Volví a pensar en Curt, y en lo satisfactorio que sería electrocutarlo, como la mujer que había muerto así: verlo gritar y retorcerse hasta que la carga eléctrica hiciera un hoyo gigante en su piel. Agité la cabeza para alejar ese pensamiento. No podía seguir aquí. Necesitaba quemar algo.

Era momento de volver a visitar el almacén.

Antes de salir de casa tomé algo de pollo del refrigerador –nadie se había acabado la cena, después de todo–, lo guardé en una bolsa de plástico y me lo metí en el bolsillo del abrigo. Ese gato no me detendría esta vez.

Era pasada la medianoche y estaba suficientemente oscuro como para ir en bici, pues el coche haría mucho ruido y podría despertar a mamá, además de que definitivamente haría que fuera más fácil rastrearme si alguien investigaba el incendio. Atravesé en bicicleta las calles oscuras por casi kilómetro y medio, luego bajé y caminé por el sendero irregular a través de los árboles, abriéndome paso entre las manchas de oscuridad por donde la luna no podía penetrar. El tanque de gasolina me mojó la mano.

El fuego me estaba llamando.

En las paredes del almacén se reflejaba la luz gris de la luna brillando con debilidad en el claro. Yo estaba sonriendo. En esos momentos las líneas dentro de mí se borraban y el Señor Monstruo se volvía simplemente John Cleaver: no un asesino sino un chico, no un monstruo sino un ser humano. El fuego era mi gran catarsis, pero el momento del preludio era mi libertad en su estado más puro, el único breve respiro en el que no me tenía que preocupar por lo que el Señor Monstruo quisiera hacer, porque él y yo queríamos la misma cosa. Una vez que tomaba la decisión de iniciar un incendio, ya no estaba en guerra conmigo mismo; yo solo era yo y todo tenía sentido.

El gato me saludó con una mirada silenciosa, echado en el alféizar de una ventana rota, desde donde tenía una vista señorial de todo su dominio, tanto dentro como fuera. Dejé mi bicicleta junto a los árboles y avancé silenciosamente, sacando el pollo y tirando un pequeño trozo. Las fibras se separaban con facilidad, las capas de músculo cocido se desmenuzaban en tiras. Llegué hasta la ventana y agité el pollo tan cerca del gato como pude, dejando que oliera la carne. Luego tiré al suelo el trozo arrancado y tiré el resto a varios metros de distancia. Los ojos del gato siguieron la carne mientras caía, concentrados en ella como un láser. Me metí al almacén por una entrada vacía.

Cuando miré de nuevo hacia la ventana el gato seguía allí, observándome mientras me acercaba a la puerta. Me miró un momento, luego volteó a mirar la carne de afuera. *Eso es*, pensé. *Ve por ella.*

Saqué el viejo colchón de detrás de la pila de tablones. Era grueso y estaba mohoso, cubierto de tierra y rastros de animales, y la parte inferior estaba húmeda; cuando le di la vuelta sentí el olor como una nube lenta y mohosa. Lo volví a voltear para que quedara del lado de arriba la parte seca, luego lo pensé mejor y lo volteé una vez más. Podía usar algunas de las otras cosas, como las tablas de madera, para apoyar el colchón y crear un horno debajo de él; así, el lado seco se prendería rápido y ayudaría a secar la parte de arriba. De esta manera, el humo de las partes mojadas podría salir sin sofocar las llamas de abajo.

El gato seguía encaramado en la ventana, mirándome con interés. Dejé de moverme, tratando de parecer lo menos interesante posible, y lo volví a mirar. No se movió.

Esperé un momento más, pero el gato seguía inmóvil. Empecé a juntar material para hacer mi horno; el gato tendría que moverse tarde o temprano.

A lo largo de una de las paredes del almacén había una hilera de barriles de metal que se notaba que estaban vacíos. No eran inflamables y no contenían ningún químico inflamable, así que los ignoré y seguí con lo mío. En el rincón más alejado había una pila de latas de pintura, y otras más estaban regadas por el lugar aparentemente al azar. En visitas previas las había catalogado: la mayoría eran de pintura de látex que no se quemaría, pero había una buena pila de pinturas de esmalte blanco que estallaría como combustible de cohete. Usé mis llaves como palanca para abrir una lata, y sonreí ante el tufo acre de alcohol que salió del interior. La pintura era vieja, de varias décadas, probablemente, y el pigmento se había asentado y congelado en el fondo, dejando un espeso caldo etílico en la capa superior. Arrastré las latas hacia el centro de la habitación, de dos en dos, mientras fantaseaba con el fuego gigante que crearía.

El gato seguía en la ventana, observándome. Fruncí el ceño. Salí y encontré la pechuga de pollo sin tocar en el matorral y el pavimento. La pequeña pieza que había arrancado también estaba sin tocar. La recogí y se la ofrecí al gato.

–¿No la quieres?

Se me quedó mirando.

–Es comida, gato, ¿no comes comida?

Tuve que abstenerme de insultarlo. Cualquier abuso, incluso verbal, estaba en contra de las reglas. Arrojé la comida en frente de él, dejando que hiciera un arco frente a sus ojos antes de volver a caer al suelo.

–Aléjate de la ventana.

Sentí una opresión en el pecho y exhalé hondó. *Tranquilo*, me dije a mí mismo, *todo está bien. Todavía puedes tener tu incendio. El gato se irá y todo estará bien.* Cada vez se me dificultaba más respirar y tenía la mirada clavada en… No sé en qué. Solo necesitaba entrecerrar los ojos, dos, tres, cuatro veces seguidas. Volví a entrar rápidamente, buscando algo que hacer. ¡La madera! Había algo de madera en el centro; podía apilarla.

La compañía de construcción que solía ser dueña de este lugar había dejado varias tablas y tablones de 30 cm x 2,5 m y de 60 cm x 1,2 m. Llevaban expuestos a los distintos ciclos estacionales más de veinte años, por lo que la madera ya estaba deformada. Algunos tablones estaban ligeramente curvados, otros estaban hinchados y algunos se habían quebrado. Los anteriores visitantes habían movido algunos de lugar, reapilándolos o simplemente tirándolos, pero la mayoría seguía apilado en sus lugares originales. Para construir mi horno tomé tres de los de 30 cm x 2,5 m y los apoyé en seis latas abiertas de esmalte de pintura; la pintura no haría mucho hasta que el fuego fuera realmente grande, pero cuando la llama finalmente las alcanzara estallarían espectacularmente. Las acomodé en filas ordenadas y puse el colchón en la parte de arriba, trabajando con tanta rapidez que derribé todas las tablas encima de las latas la primera vez que intenté levantar el colchón. El gato, todavía sentado en la ventana, me estaba poniendo nervioso. Necesitaba calmarme. Reacomodé los tablones y luego levanté el colchón con más cuidado, con el lado seco abajo, antes de ponerlo en los tablones. El colchón estaba más mojado de lo que creía, estaba empapado. Me pasé la mano por el pelo con intranquilidad. Después de un momento, simplemente tomé mi lata de gasolina y vertí un poco encima del colchón. No era la solución más elegante, pero posiblemente era la más simple.

El gato seguía allí. Dejé la lata de gasolina y pateé una pila de tablones de 60 cm x 1,2 m.

–¡Lárgate!

El ruido hizo eco en el almacén vacío y el gato siseó y arqueó la espalda de forma agresiva. Apreté los ojos y sentí náuseas.

–Lo siento, lo siento, lo siento.

Avancé unos cuantos pasos, luego me di la vuelta y regresé, dejando mis huellas con pasos erráticos en el suelo sucio. Me volví hacia el gato y lo miré directo a los ojos.

–No voy a lastimarte –dije–. No voy a dejar que nada te lastime –hice una pausa–. A lo mejor puedo ayudar, a lo mejor solo no sabes qué hacer.

Podía treparme a donde él estaba y cargarlo yo mismo –gentilmente– pero necesitaba algo en qué pararme. Corrí hacia los barriles de metal y tomé uno por el borde superior; aun estando vacío era muy pesado y tuve que apoyarme contra la pared para tirarlo. Cayó al suelo haciendo un sonido metálico hueco y lo rodé impacientemente hacia el otro lado de la habitación, esquivando con cuidado las pilas de madera, las latas y la basura que llenaba el almacén.

–No voy a lastimarte –le repetí, rodando el barril–, solo voy a ayudarte. Te llevaré a un lugar seguro.

Quité un par de tablones que estaban apoyados en la pared bajo la ventana y maniobré el barril para ponerlo allí. Parecía casi imposible volver a pararlo, pero lo fijé contra la pared y puse las manos debajo de él, logrando que se pusiera de pie. El gato observaba todo sin inmutarse.

Me trepé con cuidado al barril y lentamente me puse de pie sobre él. Cuando me acerqué, el gato volvió a sisear, extrayendo las garras y mirándome fijamente. Me detuve un momento, tratando de tranquilizarlo.

–No tengas miedo. Solo te voy a cargar, muy gentilmente, y te voy a llevar afuera.

Terminé de enderezarme y siseó una tercera vez, más fuerte.

–Escucha, este lugar está a punto de incendiarse y tú no quieres estar aquí. No entiendes lo que es el fuego, pero da mucho miedo. Es muy malo.

Me enderecé más y el gato arqueó el lomo. Tenía el pelo erizado. Viéndolo de cerca podía notar los rasgos familiares de un gato doméstico, pero había algo más profundo; huellas de leopardo y tigre grabadas desde su interior, remanentes de los ancestros originarios del gato, que habían despertado de repente. De donde fuera que el gato viniera, cualquier rasgo de civilidad que alguna vez hubiera tenido, había desaparecido. La criatura que me amenazaba era un animal salvaje y peligroso.

Me quedé inmóvil, examinando su rostro como si se tratara de un pozo de la memoria. Volvió a sisear, contrayendo las patas delanteras en posición para saltar.

Me alejé.

No debería estar haciendo esto. Me había permitido romper una regla –la de quemar cosas cuando necesitara descargarme–, pero estaba llegando demasiado lejos. No podía romper ninguna de mis otras reglas, y si tocaba al gato me iba a atacar y yo me defendería, y al lastimarlo estaría rompiendo mi mayor regla de todas. No podía hacerlo, tenía que detenerme.

Bajé del barril de un salto, nervioso y agotado. Me sentía

mareado, así que me senté en una pila de tablones para recuperar el aliento. No iba a lastimar a nadie.

No iba a quemar nada.

La tensión seguía ahí; mi rabia, mi miedo, mi desesperación, pero no podía dejarlo salir. No así. Esto era demasiado caótico y poco controlado. Creo que en alguna parte de mí, en el fondo, *quería* provocar al gato para que me atacara y así tener una excusa para lastimarlo yo a él. Pero no me iba a permitir lastimarlo.

Tratar de liberar tensión en pequeñas dosis seguras como esta se estaba volviendo demasiado peligroso. Tenía que haber una mejor forma, pero embotellar la tensión para que nunca se liberara tampoco estaba funcionando, y definitivamente no podía solo quitarle las trabas y dejar que saliera sin control. Tenía que haber un punto medio. Lo que necesitaba era otro demonio.

Nunca me había sentido tan cómodo como lo había estado el invierno pasado, cazando al demonio que acechaba a mi pueblo. Me había sentido concentrado y con dirección: tenía un propósito que le daba sentido a todo. Había podido liberar al Señor Monstruo, y gracias a eso, había sido capaz de vivir en paz conmigo mismo por primera vez en años. Ahora que el demonio se había ido, mi descarga psicológica también había desaparecido.

Salí del almacén lentamente, respirando con un ritmo controlado y constante. Había una nueva víctima, pero no había asesino al cual cazar; no era un demonio, no era un asesino serial, era solo un esposo borracho o un novio celoso... Un novio celoso. Forman había dicho que el cuerpo estaba cubierto de pequeñas heridas, cuchilladas, arañazos, quemaduras, ampollas y quién sabe qué más. Un novio enojado y celoso pudo haberlas hecho con facilidad; un novio enojado y celoso que no tuviera respeto por las mujeres y por consiguiente las tratara como mierda. Un hombre como ese no tendría reparos en infligirle esa clase de dolor a una mujer.

Y yo sabía exactamente dónde encontrar un hombre así.

Era muy poco probable, lo sabía, pero era algo. Era una meta clara y alcanzable: seguir al hombre que *podía* ser el asesino para determinar si lo era. Podía vivir como antes, podía servirme de las necesidades del Señor Monstruo sin ponerme en peligro.

Era momento de conocer a Curt mucho, mucho mejor.

CAPITULO 6

a víctima finalmente fue identificada como Victoria Chatham. Como no la habían traído para embalsamarla, no había forma de examinar el cadáver o estudiar las heridas, lo que me dejaba sin una forma directa de aprender más sobre el hombre que le había infligido esas heridas, así que mi estudio del asesino tendría que empezar en otra parte.

Y como todavía estaría atrapado en la escuela unas semanas más, "en otra parte" significaba en una conversación sesgada con Max en la cafetería de la escuela.

—La pregunta central en la creación de perfiles criminales —expliqué— es "¿Qué hace el asesino que no tendría que hacer?".

—Ay, otra vez no, por favor —pidió Max, poniendo los ojos en blanco.

—Esto realmente funciona. Y funciona mejor si hay alguien más con quien rebotar las ideas. Tú fuiste útil la última vez.

—Si fui tan útil, ¿por qué no atrapaste al malo?

De hecho lo hice.

–El agente del FBI de la estación de policía me llamó y me mostró fotos de la escena del crimen antes de que se hicieran públicas –dije–, me pidió ayuda.

–Cállate.

–No, de verdad.

–John, estamos a dos mesas de tres chicas increíblemente sexies en increíblemente pequeños shorts, así que no tengo tiempo para otra conversación analítica contigo.

Cerré los ojos. Brooke estaba sentada justo a dos mesas con dos de sus amigas, Marci y Rachel, pero ya había gastado la conversación y las dos miradas que tenía permitidas en el almuerzo. Brooke tenía el pelo recogido en una cola de caballo, atado con una especie de listón rosa o liga. Traía una blusa rosa con rayas blancas y un par de shorts de mezclilla que dejaban ver sus piernas largas y delgadas. Ni siquiera tenía permitido pensar más en ella, que era en parte el punto de analizar al asesino.

Los dedos me cosquilleaban, pidiéndome quemar algo.

–El cuerpo estaba cubierto de heridas –continué–, lo dijeron en las noticias y yo vi la foto. El asesino la hirió antes de matarla; la torturó. ¿Por qué haría eso?

–No sé –respondió Max–, tú eres el raro. ¿Por qué lo harías *tú*?

–Es insultante, pero sí, ponernos en su lugar es más o menos lo que estamos haciendo aquí.

–Lo digo en serio –dijo Max–, si tú fueras a matar a alguien de esa forma, lo que no descarto del todo, ¿por qué lo harías?

Esto es mejor que nada.

–Porque quiero algo –respondí–, y matarla de esa manera me ayudaría a conseguirlo.

–¿Y qué es lo que quieres?

–No sé lo que quiero –contesté–. Eso es lo que estamos intentando averiguar. Tenemos que ir hacia atrás.

–Está bien –se rindió Max, mirando el techo y agitando sus manos lentamente–. ¿Qué es lo que… obtienes cuando… matas a alguien y eso… te hace obtener lo que sea que quieras?

–¿Qué obtengo matando a alguien de esa forma? –repliqué.

–Eso fue lo que dije.

–Obtengo… satisfacción.

–Eso es realmente enfermo –dijo Max.

–No se trata realmente de mí. El asesino obtiene satisfacción.

–Sigue siendo enfermo –dijo Max–. ¿Qué más?

–El asesino obtiene venganza. El asesino gana poder.

–El asesino gana paz y tranquilidad –continuó Max.

–Probablemente no –contesté–. Si lo único que quieres es que el otro se calle la boca, hay formas más fáciles de hacerlo que torturándolo hasta matarlo.

–¿Y qué pasa si es alguien que te ha estado molestando toda tu vida y tú simplemente ya no lo soportas y quieres hacerlo sufrir por eso antes de que muera? Entonces tu recompensa sería paz y tranquilidad.

–De hecho –lo corregí–, en ese caso tu recompensa sería el poder, la venganza, la satisfacción. Estarías tomando control sobre tu vida y vengándote de la persona que te lo había quitado.

–Y cuando acabes con todo eso –dijo Max–, tendrías paz y tranquilidad. Te estoy diciendo, seguimos regresando a eso.

–¿Pero sería realmente así? –pregunté–. Si yo quiero paz y tranquilidad, la última cosa que haría sería tirar un cadáver en la mitad de una investigación de un asesino serial. Esta muerte va a tener más cobertura, más atención y mucha más investigación que cualquier otra muerte en cualquier otro pueblo perdido.

–Está bien, bueno, ya –dijo Max–. Me rindo, no tendría más paz y tranquilidad. Tendría exactamente lo opuesto a paz y tranquilidad; tendría…guerra y ruido. Tendría una guerra ruidosa; soy un terrorista.

Las piezas hicieron click en mi cabeza.

–Quizá lo eres –admití, inclinándome hacia adelante con entusiasmo–. Quiero decir, no un terrorista estándar, pero es la misma idea general: usas la violencia para obtener atención.

–¿Así que soy un niño de cuatro años?

–Lo estás haciendo a propósito –seguí–, porque quieres que la gente te note. Matas a alguien en una forma extraña, lo dejas en un lugar visible, y así es como dejas tu mensaje.

–¿Por qué empezamos a hablar de mí en vez de hablar de ti?

–Yo, entonces. Da igual. El asesino. El asesino está tratando de decir algo. "Odio a las mujeres", o "Estoy mejor sin ti" o algo por el estilo.

–"Puedo hacer lo que se me da la gana".

–Exacto.

–Pero entonces, ¿a quién se está dirigiendo? –preguntó Max tras darle una mordida a su sándwich.

–Mmm…. No sé. A todos, supongo. A la policía. Al FBI. Tenemos un agente que no es del pueblo que se gana la vida haciendo esto, podría estar dirigiéndose a él.

–¿Y si se trata del Asesino de Clayton?

–Los métodos son completamente diferentes –dije.

–No, quiero decir, ¿y si es al Asesino de Clayton a quien se dirige?

Giré para mirarlo. El Asesino de Clayton estaba muerto, pero Max no lo sabía. Nadie lo sabía. Incluyendo al nuevo asesino. ¿Y si esto era la forma en la que un asesino le decía a otro "Hola, soy nuevo en el pueblo"?

–Mierda, aquí viene –dijo Max.

–¿Quién? –levanté la vista rápidamente y vi a Brooke viniendo directamente hacia nosotros.

Esa era la tercera vez que la veía durante el almuerzo; no tenía permitido mirarla tanto. Tenía que seguir mis reglas tan estrictamente como pudiera, incluso si ella iniciaba el contacto. Mis reglas eran mi primera y última defensa contra el Señor Monstruo, y si yo podía hacer lo que quisiera, entonces él también podría. No podía permitir que eso sucediera.

–Si te pregunta de qué estábamos hablando –rogó Max–, por favor di que de coches.

Brooke se acercó a nuestra mesa.

–Hola, John.

–Hola.

No tenía permitido hablar con ella tampoco durante el almuerzo, después de decirle "hola" en mi camino a la cafetería.

–¿Tienes clase de Literatura después? –preguntó.

–Sí.

Traté de ser tan educado como pude, observando la pared detrás de ella, mirando apenas la parte derecha de su rostro.

—La profesora Barlow dijo que estamos empezando la misma unidad que en tu clase –dijo Brooke–. *Beowulf* y *Grendel.*

—Sí –contesté, esperando que la conversación terminara. Luego, desesperado por no parecer grosero, agregué–: Suenan muy interesantes.

Apreté los dientes. *No debí haber dicho eso.*

—Sí –respondió Brooke. Podía ver en mi visión periférica que estaba sonriendo. Bajé la mirada a la mesa, luego volví a mirar el espacio justo al lado de su otro hombro.

—Creo que sería grandioso hablar de eso –dijo–, ya sabes, en el coche y así. Ya que de cualquier forma estamos ahí todos los días.

—Claro –respondí. Se supone que no tenía que contribuir a la conversación pero… ¿qué más podía hacer?–. Eso serviría mucho en clase, ya que estamos en diferentes salones.

—Exactamente –dijo Brooke–. Podemos compartir todas las ideas brillantes de las clases de cada uno y luego sonar como genios en la nuestra.

—Claro –contesté bajando la mirada otra vez hacia la mesa. *Por favor vete.*

—¡Genial! –exclamó–. ¿Supongo que te veré en el coche?

—Sí.

—Muy bien, ¡ahí nos vemos!

Se fue. *Por fin.* Max se quedó mirándola mientras se alejaba.

—Adiós, hermoso trasero. Te extrañaré.

Volteó a verme y me dio un aplauso silencioso.

—Estúpidamente brillante, por cierto. Nunca te tomé por experto en esa clase de sutileza romántica.

–¿De qué hablas? –pregunté, sacudiendo la cabeza. La sentía pegajosa y extraña, como si estuviera atrapado en una telaraña.

–Despachándola así –respondió Max–. Si la segunda chica más sexy de la escuela se acercara a mí, usando esos shorts y suplicándome ser su compañero de estudio, no habría poder en el mundo que me permitiera permanecer tan tranquilo. No creo que nadie en la escuela hubiera podido hacerlo.

–¿La *segunda* chica más sexy?

–Brooke no es Marci –aclaró Max–. Pero en serio: estoy muy impresionado. La tienes comiendo de tu mano.

–No sé de qué estás hablando –contesté.

–No seas modesto, hermano, es un gran plan –Max se echó hacia atrás e hizo un gesto amplio con ambas manos–. Le das suficiente atención como para enseñarle el buen chico que eres, y luego te quitas del camino y la dejas a ella llenar los huecos. Realmente te está empezando a funcionar; la pose del "difícil de conseguir" te está dando frutos.

–Lo estás entendiendo mal.

–Ay, por favor –dijo Max–. ¿Crees que nadie lo nota? La traes a la escuela todos los días, la contemplas nostálgicamente mientras se aleja y luego prácticamente la evitas el resto del día. Ayer en el almuerzo te acercaste a ella, conversaste acerca de sus *zapatos*, de entre todas las cosas posibles, y a la siguiente hora seguiste de largo cuando te la encontraste en el pasillo y pretendiste no darte cuenta cuando te sonrió.

Eso fue en el descanso entre la quinta y la sexta clase, Inglés y Matemáticas. Ella tenía una clase justo en mi camino de una a otra, así que generalmente daba la vuelta por el otro pasillo para evitarla. Ese día me había retrasado por hablar con un profesor y no tenía tiempo, así que caminé directo por el pasillo mirando al suelo, solo para no verla.

¿Y aparentemente eso le gustaba? ¿Cómo esperaba entender a las personas?

Tenía que parar. No podía dejarla acercarse a mí más de lo que ya estaba ahora; no así. El Señor Monstruo la deseaba tanto que dolía.

—Eso no significa nada —dije—. Solo es una chica a la que traigo a la escuela, nada más.

—¿Lo dices en broma? —preguntó Max—. Creo que hasta personas de otros países pueden entender que estás enamorado de ella.

—Ya de por sí paso demasiado tiempo con ella.

—¿Eso qué? —preguntó Max—. Es un bombón, hermano. Cuando te digo que ella es la segunda chica más ardiente de la escuela, te aseguro que es porque he dedicado *mucho* tiempo a hacer una comparación detallada. Debes dejar de ser tan egocéntrico e invitarla a salir.

Me quedé mirándolo.

—¿Estás loco?

—No —dijo Max—. Tú estás loco. De hecho creo que te estás haciendo el difícil demasiado bien; probablemente ella misma ya te habría invitado a salir si te mostraras un poco más disponible.

—¿Por qué dices eso?

—Porque pongo atención —respondió Max—. Es, como ya lo mencioné, muy sexy. Y mientras tú estás ocupado ignorándola, ella manda muchas miradas interesadas en tu dirección. Creo que te encuentra misterioso, aunque empiezo a pensar que solo eres un idiota sin remedio.

No necesitaba esto. Ya era suficientemente complicado mantener al Señor Monstruo bajo control, viviendo sus fantasías por la noche, y luego usando mis días para construir una jaula de reglas y patrones de conducta alrededor de él para evitar que esas fantasías se volvieran realidad. Él quería lastimar gente, a veces de forma muy dramática, y las cosas que planeaba para Brooke eran casi demasiado terroríficas como para pensarlas. Quería poseerla, absoluta y completamente, y no podía lograrlo hasta que ella estuviera muerta. Lo único que podía hacer era mirarla y sonreírle mientras este pozo de negras intenciones se agitaba dentro de mí. Y ahora aquí estaba mi amigo, mi único amigo, diciéndome que debería concentrarme aún más en ella, pasar más tiempo con ella, pensar más seguido en ella y hacer más cosas para atraerla hacia mí.

Algo tenía que cambiar, y pronto, o nadie a mi alrededor estaría seguro.

CAPÍTULO 7

Para mi cumpleaños dieciséis recibí de regalo un cadáver para jugar: la señora Soder, la mujer más vieja del condado de Clayton, por fin se murió. El cadáver yacía en la mesa de embalsamamiento de acero inoxidable, inmóvil, ya sin la bolsa para cadáveres. Había muerto en el hospital y nos la habían traído en una bata de hospital. Eso lo hacía mucho más sencillo; en vez de luchar con ropa de verdad, o tratar de obtener el permiso de la familia para cortarlas, podíamos simplemente deshacer un nudo aquí y otro allá y quitarle la bata del hospital en segundos. El embalsamamiento iba a ser casi demasiado sencillo. Quería tomarme tanto tiempo como me fuera posible, para poder disfrutarlo.

Mamá estaba en la oficina, firmando unos papeles con Ron, el forense, y Margaret todavía no llegaba. Lauren técnicamente era la asistente de la oficina, pero todavía no le dirigía la palabra a mamá y, naturalmente, tampoco estaba ahí.

Mucho más tiempo para mí.

Toqué su cabello, largo, blanco y muy fino, como seda de maíz. La señora Soder había muerto con casi cien años de edad y el cuerpo se curvaba de forma extraña en la mesa debido a la joroba de vejez en su columna vertebral. Lo primero que se hacía con un cadáver, naturalmente, era asegurarse de que estuviera muerto, porque definitivamente va a estar muerto para cuando termines con él, así que es mejor estar seguros de que no está vivo cuando empiezas.

Saqué un pequeño espejo de maquillaje de una de las gavetas y lo sostuve frente a la nariz del cadáver. Un cuerpo vivo, incluso en coma, empezaría a empañarlo con su respiración. Conté hasta veinte mientras sostenía el espejo, pero no pasó nada. No estaba respirando. Guardé el espejo y saqué una aguja de coser, pequeña y afilada, pero lo suficientemente larga como para hacer un agarre sólido. Pinché el cuerpo en la yema del dedo, no lo suficientemente fuerte como para romper la piel, pero sí como para estimular los nervios y producir una reacción involuntaria. No hubo movimiento. Estaba muerta.

Saqué el lavabo portátil –que era básicamente una cubeta con ruedas– y lo coloqué debajo de la cabeza. El segundo paso en el embalsamamiento es limpiar el cadáver, y el cabello es una de las partes más importantes porque es una de las más visibles. Parecía que nadie le había lavado o cepillado el cabello desde hacía algún tiempo, pero yo no tenía problema con eso. Más tiempo para mí. Teníamos una pequeña manguera de goma conectada a nuestro lavabo estacionario, así que la jalé y le eché apenas la cantidad suficiente de agua para que se le mojara el cabello. No teníamos un shampoo especial para cadáveres, solo una botella del mismo que usábamos arriba. Lo apreté un poco en la parte superior de su cabeza, cerca de la frente. Luego empecé a cepillarlo.

–Hola, John –saludó mamá, haciendo ruido al entrar. Estaba vestida con su uniforme médico. Tenía una expresión estresada, con los ojos y la boca ligeramente abiertos y los dientes apretados, pero se movía con ligereza, casi casualmente. A veces daba la sensación de que disfrutaba estar estresada y actuaba así incluso cuando estaba relajada–. Lamento dejarte tanto tiempo solo; Ron tenía un nuevo formulario estatal que nunca había visto.

–Está bien –dije.

Mamá se detuvo, se dio la vuelta, y me miró.

–¿Estás bien?

–Claro –contesté–. Solo le estaba lavando el cabello a esto.

–A ella –corrigió mamá, volviéndose hacia la encimera.

–A ella –repetí–. Lo siento.

Siempre llamo a los cadáveres "eso" porque… Bueno, es obvio. Están muertos. Pero aparentemente esa clase de licencias realmente le molestan a los humanos normales. Me costaba mucho recordarlo.

–¿Dónde está Margaret? –pregunté.

–Le dije que no se molestara –respondió mamá–. Esta es una tarea fácil; tú y yo podemos hacerlo solos, y ella puede encargarse de toda la planeación del servicio funerario con la familia.

–¿No eres tú la que siempre hace eso?

–Tal vez solo quiera pasar más tiempo con mi hijo –dijo, frunciendo el ceño de una forma que, según había aprendido, significaba que lo decía con humor–. ¿Alguna vez piensas en eso?

La miré con seriedad.

–Mi parte favorita de la convivencia familiar es cuando aspiramos las cavidades de un cadáver. ¿Cuál es la tuya?

–Mi parte favorita es cuando no hablas como un sabelotodo –dijo, y bajó una botella de spray de un estante–. Revisa si tiene costra láctea. Estuvo en el hospital casi dos semanas y quién sabe si siquiera le lavaron el cabello en todo ese tiempo.

La revisé la cabeza y separé las capas de pelo para mirar el cuero cabelludo.

–Hay una especie de lodo aquí.

–Costra láctea –afirmó mamá–. Es aceite y células de la piel muertas, y es muy difícil de quitar. Prueba con esto.

Se acercó y roció la zona con el spray.

–Eso debería poder atravesarlo. Solo sigue cepillando.

La cepillé con un poco más de fuerza, raspando suavemente la espuma de su cuero cabelludo. Después de unos minutos, el spray empezó a penetrar y pude quitársela. Cuando me pareció que el cabello ya estaba suficientemente limpio, le volví a echar agua, empapándolo más a fondo esta vez, y cepillándolo aún más para enjuagarlo bien.

Sincronicé mis cepilladas al ritmo de mi propio corazón, una cepillada por cada latido. Ambos eran lentos y mesurados; estaba calmado por primera vez en semanas. Embalsamar era un trabajo, como cualquier otro, pero cada persona que se dedicaba a esto tenía su propia forma de hacerlo. Para mi papá se trataba de una forma de respeto, una forma de honrar las vidas de aquellos que habían muerto. Para mi mamá era un servicio; tenía la oportunidad de pasar horas ayudando a alguien que estaba realmente desvalido y aún más tiempo con la familia, ayudándoles a organizar el funeral y el entierro, y los servicios que venían con él. Para ambos, embalsamar era algo bueno, algo casi ceremonial. Era su sentido compartido de la deferencia por la muerte lo que los había unido en primer lugar.

Para mí, embalsamar era una forma de meditación; me daba una sensación de paz que no tenía en ningún otro aspecto de mi vida. Me encantaba la quietud del trabajo, el sosiego. Los cadáveres nunca se movían ni gritaban; nunca se peleaban ni te abandonaban. La muerte simplemente yacía ahí, en paz con el mundo, y me dejaba hacer lo que necesitaba hacer. Tenía control sobre mí mismo.

Y sobre ellos.

Mientras le cepillaba el cabello, mamá cortó la bata de hospital y la cambió por una toalla para el pudor. Le lavó las extremidades y el cuerpo, y cuando terminé con el pelo saqué un rastrillo. Siempre rasurábamos el rostro de los cadáveres, sin importar la edad o el género, porque incluso las mujeres y los niños tenían un poco de pelusa aquí y allá. Masajeé sus mejillas y su labio superior con un poco de espuma de afeitar y gentilmente pasé el rastrillo por su piel. Unos minutos después lo bajé.

—Ya acabé de rasurarla —anuncié—. ¿Estamos listos para arreglarle la cara a esto?

—A ella —insistió mamá.

—A ella —repetí.

—Pasamos por esto cada vez, John —dijo—. Tienes que pensar en ellos como personas, no como objetos. Tú de entre todas las personas deberías saber cuán importante es eso.

—Lo siento —contesté, guardando las cosas para afeitar.

—Mírame, John —me ordenó. Volteé a mirarla—. No estoy bromeando.

—Lo siento —repetí— A ella. Arreglarle la cara a ella.

—Que no vuelva a suceder —insistió mamá y yo asentí.

Ella había muerto tan recientemente que su cuerpo seguía rígido por el rigor mortis, y antes de que pudiéramos arreglarle la cara necesitábamos masajearle el cuerpo para que recuperara movilidad. El rigor mortis es causado por una acumulación natural de calcio en los músculos; los cuerpos vivos usan ese calcio para muchas cosas, pero en los cadáveres solo se acumula hasta que los músculos se vuelven rígidos. Dentro de un día, aproximadamente, *ella* volvería a estar suelta por la descomposición, pero por ahora debíamos amasar el calcio a mano, presionando y frotando la carne hasta que estuviera suave y flexible.

Una vez que pudimos trabajar con ella empezamos a definir sus facciones, a acomodarle la cabeza, cerrarle la boca, etcétera. Pusimos unas bolitas de algodón bajo sus párpados para que no se vieran hundidos y luego los sellamos con crema. Incrustamos dos pequeños ganchos en sus encías, uno detrás de su labio superior y otro en su mandíbula, y luego sellamos la boca con un pequeño hilo negro que unía los ganchos. Era importante colocar los ganchos con cuidado, y luego amarrar el hilo con la fuerza justa: si quedaba muy flojo la boca se abriría y si quedaba muy apretado, la nariz se vería pinchada y poco natural. Lo último que deseaba la familia era ver a su abuela muerta burlándose de ellos desde su ataúd.

Una vez que acabamos con el rostro, empezamos la primera fase interna del proceso, también llamada embalsamamiento arterial. Mientras mamá reunía los productos químicos pertinentes y los mezclaba en la bomba, yo usé un bisturí para hacer un pequeño corte cerca de la clavícula; luego, usé un gancho sin punta para pescar un par de vasos sanguíneos, lisos y púrpuras. Cada uno era tan ancho como un dedo, y los corté con cuidado para evitar atravesarlos por completo. El proceso entero carecía casi de sangre, ya que no había un corazón latiendo que ejerciera presión y la expulsara. Até cada vaso –una arteria y una vena–, a un tubo de metal, luego mamá acercó la bomba y le conecté el tubo de la arteria. El tubo de la vena estaba conectado a la manguera que llevaba al desagüe del suelo.

Mamá encendió la bomba y empezó a trabajar, bombeando un coctel de detergentes, conservadores, perfumes y colorantes, y forzando a que la mayoría de la sangre vieja se fuera por el desagüe. Volteé a ver el ventilador arriba de nosotros, que no dejaba de girar.

–Espero que el ventilador no nos falle –dije. Mamá se rio. Era un viejo chiste: nuestro antiguo ventilador era tan malo y los químicos para embalsamar eran tan tóxicos, que teníamos que salir de la habitación mientras la bomba funcionaba. El ventilador nunca se había parado en realidad, pero Margaret siempre decía lo mismo. No obstante, después de todo el trabajo extra que tuvimos en invierno, mamá y Margaret habían invertido parte de sus ganancias en un nuevo sistema de ventilación. El nuevo ventilador era de alta tecnología y muy confiable, pero todavía teníamos que hacer el mismo comentario. Era prácticamente un ritual.

El embalsamamiento de cavidades sigue el mismo propósito general que el arterial: extraer los viejos fluidos y poner dentro nuevos fluidos, matar bacterias y detener la descomposición el tiempo necesario para que los familiares puedan ver el cuerpo en el funeral. Pero mientras el embalsamamiento arterial usa el sistema circulatorio natural del cuerpo para facilitar el trabajo, el embalsamamiento de cavidades incluye varios órganos independientes y espacios inconexos que hay que limpiar uno por uno. Eso lo lográbamos gracias a una herramienta llamada trocar, que es básicamente una larga boquilla afilada unida a una aspiradora. Usábamos el trocar para perforar el cadáver y succionar toda la suciedad, un proceso llamado "aspiración", y una vez que habíamos succionado todo, lo limpiábamos y lo uníamos a un tubo diferente para que pudiera esparcir otro coctel químico similar al que le habíamos puesto en las arterias.

El trocar, después de todo, era una herramienta muy útil. Incluso la había usado para matar al señor Crowley.

Conecté la manguera de la aspiradora mientras mamá ponía una segunda toalla del pudor y arreglaba la primera para que quedara expuesto el abdomen. Puse mi mano en su estómago y sentí las ásperas arrugas de su piel, tanteándola en busca del lugar correcto para insertar el trocar. El lugar ideal es unos cuantos centímetros arriba del ombligo y a la derecha. Estiré la piel con mis dedos separados, puse la punta del trocar en el lugar correcto y lo inserté, primero ligeramente, apenas lo suficiente como para pinchar la piel y anclar la cuchilla, luego un poco más profundo en el abdomen, empujando con fuerza para perforar una capa de músculo y luego otra. Una pequeña flor de sangre salió de la perforación como una burbuja, pero se volvió a hundir en cuanto presioné el botón y activé la succión. La aspiradora no era lo suficientemente fuerte como para succionar un órgano, pero sí para succionar fluidos, gases e incluso pequeños trozos de comida en el estómago e intestinos. Estuve aspirando todo el cadáver, escuchando el borboteo de los contenidos de las cavidades que pasaban a través de la manguera. Esto estaba bien. Así es como se supone que debe ser la vida: gente simple y pacífica haciendo cosas que la hacen felices. Los problemas de las últimas semanas parecían haberse esfumado, y estaba calmado. Tenía la sensación de estar sincronizado con el mundo y eso me hacía sonreír.

Podía hacer esto; realmente podía. No solo embalsamar, sino vivir. Sentí, en ese momento, que tenía la forma de hacerlo. Incluso el Señor Monstruo parecía desvanecerse, hasta que era tan pequeño que casi me olvidaba de él. ¿Por qué había estado tan preocupado? Era fuerte, estaba a cargo de mi propia mente y nada malo iba a suceder. No era una amenaza para nadie.

Pensé otra vez en Brooke y en lo que Max había dicho. A lo mejor tenía razón: a lo mejor era momento de invitarla a salir. Me gustaba, y al parecer yo le gustaba a ella, ¿cuál era el problema? Había pasado años entrenándome para verme y actuar como alguien completamente normal. Y los adolescentes normales salen en citas. De cierta manera me lo debía.

Ajusté mi mano en el estómago del cadáver, moviendo el filoso trocar con cuidado y pinchando otro órgano. Sí, iba a invitar a Brooke a salir.

De cierta manera se lo debía.

Pasé toda la noche ideando un plan, y todo el día en la escuela me exprimí el cerebro en busca de ideas; tenía que ser cuidadoso, decir las palabras correctas en el momento correcto. Decidí que era mejor esperar unos cuantos días hasta que se me ocurriera algo perfecto. No soy, como se puede notar, una persona impulsiva.

Brooke estuvo callada en el camino a casa, lo que normalmente estaría bien, pero hoy me preocupó. ¿Estaba triste? ¿Estaba enojada? Cuando me volví a mirar el espejo lateral la observé de reojo. El sol iluminaba su cabello como un halo de oro blanco. Lo que haría solo por tocar su pelo. El pensamiento me aterrorizó.

Unas pocas cuadras antes de llegar a nuestra calle habló de repente.

—¿Crees que el asesino esté de vuelta? —preguntó.

—¿Lo dices por el cadáver? —pregunté.

—Yo… bueno… No parece para nada el mismo asesino, quiero decir, la víctima es diferente, los métodos son diferentes; ya sabes lo que dicen en las noticias. Es probable que solo sea un asesinato al azar —Brooke dio unos golpecitos suaves con el dedo en la ventana—. Pero ¿y si se trata del mismo tipo? —dio unos golpecitos más—. ¿Qué harías?

—Creo que yo… Bueno, si estuviera de vuelta, en términos generales, creo que no haría mucho. No algo diferente, quiero decir, solo vivir mi vida como siempre.

—¿Y si volviera aquí?

Dimos otra vuelta y la miré de reojo nuevamente, esta vez a su rostro, delgado y delicado, con los ojos intensos y la boca cerrada y delgada. Me estaba mirando, pero ¿en qué estaba pensando? Había una clase de emoción detrás de esos ojos, pero ¿qué era? Me resultaba inaccesible, como un sistema encriptado. ¿Cómo podía explicar lo que pensaba si ni siquiera estaba seguro de cómo lo percibía ella?

La casa de Crowley apareció a lo lejos, solitaria y ominosa al fondo de la calle. Todos los recuerdos inundaron mi cabeza: una noche de oscuridad y violencia. Y de victoria.

−Si el Asesino de Clayton volviera −dije− y estuviera atacando a alguien nuevo, entonces me enfrentaría a él.

Estaba siendo más honesto de lo que usualmente me permitía. ¿Por qué? Volví a mirar el rostro de Brooke, involuntariamente, y la vi observándome seriamente. Estaba escuchándome. Era embriagador.

−Si todo se redujera a él o a nosotros, a matar o morir, entonces lo mataría. Si al hacerlo fuera a salvar a alguien, lo haría.

−Ah −dijo Brooke. Me estacioné frente a su casa. Aunque estaba a solo dos puertas de distancia de la mía, no me gustaba hacerla caminar cuando era igual de sencillo para mí dejarla directamente ahí. Quería quedarme más tiempo, pero no sabía cómo pedirlo.

Brooke no se movió. ¿Qué estaba pensando sobre mí? ¿O sobre lo que había dicho? Dejé que la tensión creciera hasta que me puse demasiado nervioso −solo un par de segundos, en realidad−, y luego giré hacia ella. Mantuve mis ojos en la manija de su puerta, evitando su cara y su cuerpo.

–Es tan raro… –dijo, como motivada por mi mirada–. Vives en un pequeño pueblo como este y piensas que estás seguro, y luego algo así pasa justo aquí, en nuestra propia calle. Como una película de terror hecha realidad. Cuando me enteré lo que había sucedido sentí mucho miedo, pero yo estaba a treinta o sesenta metros de distancia, mientras que tú estabas en medio de eso –hizo una pausa y se quedó mirando en silencio a su puerta–. Nunca sabes cómo vas a reaccionar a algo hasta que sucede –dijo–. Supongo que es solo que… Me siento más segura sabiendo que personas como tú están listas para hacer lo que se tiene que hacer. Para hacer lo correcto, ¿sabes?

–Sí –respondí asintiendo lentamente. Esa respuesta no era la que esperaba.

–¿Tiene sentido lo que digo? –preguntó.

Sabía que me estaba mirando, así que dejé a un lado mi regla un poco y la miré yo también. Era tan hermosa.

–Sí –afirmé otra vez–. Tiene mucho sentido.

–Pero bueno –dijo–. Gracias otra vez por traerme.

Se desabrochó el cinturón y abrió la puerta, pero antes de que pudiera salir la llamé para detenerla. Era ahora o nunca.

–Ey –dije–. ¿Vas a ir a la Fogata?

La Fogata era una gran fiesta que se hacía cada año en el lago, el último día de escuela. Solo los alumnos de los últimos años estaban invitados y ahí estaba yo, invitando a Brooke. La estaba invitando a una cita conmigo.

–Lo estaba pensando –dijo, sonriendo–. Suena divertido. ¿Tú irás?

–Creo que sí –admití. Hice una pausa. Era el momento–. ¿No quieres ir conmigo?

–Seguro –contestó, sonriendo todavía más–. He escuchado sobre la Fogata desde que estaba en el kínder, ¿sabes? No puedo esperar a ver cómo es realmente.

–Genial –dije. ¿Había algo más que decir?

–Genial –repitió. Nos quedamos sentados un minuto, sin saber qué hacer–. Estupendo –agregó, riéndose y bajándose del coche–. Te veré entonces.

–Sí –dije–. Nos vemos.

CAPITULO 8

Encontraron el cadáver de la segunda mujer el sábado, tendido sobre una zanja en la Ruta 12, cubierto con una gama similar de heridas de tortura. Era el mismo lugar donde la segunda víctima del Asesino de Clayton había sido encontrada, a menos de tres metros del punto exacto. Ahora era evidente que se trataba de un asesino serial, y parecía igual de evidente que este nuevo asesino intentaba enviar un mensaje, ¿pero cuál? ¿Estaba diciendo "Soy igual que él" o "Soy diferente a él"? ¿Estaba diciéndonos que quería ser como el primer asesino, o quería dar a entender que ya lo era? Y más que eso, me preguntaba para quién era el mensaje: ¿Para la policía? ¿Para toda la comunidad? ¿O estaba mandando el mensaje al otro asesino del pueblo?

¿Me estaba hablando a mí?

Necesitaba ver el cadáver de cerca, para saber si el asesino estaba tratando de decirme algo, y si era así, qué era lo que quería decirme. Podía ser tan simple como "Estoy aquí" o tan peligroso como "Sé lo que hiciste y voy tras de ti". Si pudiera examinar el cadáver sabría exactamente qué buscar: marcas de garras, órganos faltantes, laceraciones específicas que apuntaran hacia un conocimiento de los anteriores crímenes. La ubicación de los cuerpos anteriores había salido durante días en todas las noticias, y cualquiera en el mundo con una buena conexión a Internet podía haberlo buscado y puesto el cadáver en el mismo lugar, pero los detalles específicos del ataque previo nunca habían salido a la luz. Si ciertas cosas eran iguales, sabría con seguridad que los ataques estaban relacionados.

Desafortunadamente, tampoco era probable que en esta ocasión la policía revelara los detalles del ataque, así que tenía que esperar al embalsamamiento… si nos pedían hacerlo. Pasé el sábado esperando, tratando de ser paciente, pero para la tarde del domingo ya era demasiado. Tenía que saber algo sobre el cadáver –lo que fuera– y no podía simplemente quedarme sentado como la última vez hasta que el cuerpo llegara. Mi única esperanza era el agente Forman: me había contado del último cadáver y tal vez me contaría también de este. Valía la pena el intento, pero tenía que ser cuidadoso de no mostrarme demasiado interesado para no ponerme en evidencia. Necesitaba una excusa, pero ¿cuál?

Un recuerdo; él específicamente me pidió contactarlo si recordaba algo nuevo sobre la noche en la que Neblin murió. Yo había ignorado su petición, porque no quería compartir nada más con él sobre esa noche, pero ahora era la excusa perfecta para llegar a la estación y hablar con Forman. Solo necesitaba un recuerdo, ya fuera real o muy plausible. Recorrí mis recuerdos de esa noche, analizando cada fragmento de información, comparando lo que era cierto con lo que ya le había dicho. Había entrado a la casa por la puerta de la bodega, usando la llave que había robado antes, pero había cerrado después y nadie lo había sabido. Podía llevar a la policía ahí, pero cualquier evidencia que encontraran apuntaría hacia mí. Descarté la idea y pasé a la siguiente.

Después de los ataques de esa noche, había destruido y escondido los tres celulares: los de la señora Crowley, el señor Crowley y el doctor Neblin. Si de repente "encontrara" una de estas piezas, por accidente, podía llevarla e identificarla como una pieza del teléfono de Crowley... pero esa opción tampoco era buena idea. Nadie más que la policía y yo sabía que los teléfonos eran una parte clave de la investigación. Ni siquiera mi mamá sabía. Entregarlos sería demasiado sospechoso.

¿Qué podía hacer? ¿Qué podía decirle? Había descripto al asesino en términos muy vagos, como una silueta grande y oscura que sugería que no era ni el señor Crowley ni un demonio. Había descripto mis propias acciones: cómo había escondido el cuerpo del doctor Neblin detrás del cobertizo de Crowley esperando que el asesino no me encontrara. Había descripto el sonido que el asesino había hecho –una especie de rugido ahogado– que hizo que mi mamá saliera de casa para buscarme. Estas eran las cosas que ellos ya sabían, y eran prácticamente las únicas cosas que podía revelar de forma segura. Cualquier otra cosa me pondría en evidencia como mentiroso o como criminal.

Lo que necesitaba hacer era encontrar más detalles en la información que ya había dado. Si ver al asesino en la ventana de mi habitación era inocente, entonces recordar de repente un detalle extra –el estilo del abrigo que llevaba puesto, tal vez– podría parecer también inocente. Necesitaba algo específico, así que me metí a Internet para buscar un par de catálogos de tiendas departamentales, buscando abrigos de hombre, hasta que encontré uno: uno grueso y tosco, como el abrigo de un ranchero, de corte recto y telas resistentes. Se veía imponente en una sombra enorme, y no tenía bultos o capuchas que lo hicieran distintivo; sería completamente aceptable que me hubiera olvidado de él hasta ahora.

Ahora todo lo que tenía que hacer era decirle a Forman. No me molesté en esperar; solo tomé el coche y conduje directo a la estación de policía.

–Ey, John –saludó Stephanie, la recepcionista. Venía aquí lo suficientemente seguido desde enero como para que ella, y muchos de los policías, me conocieran de vista. No sabía mucho de ella porque siempre hacía mi mejor intento por no mirarla; era muy atractiva, y mis reglas sobre ver mujeres era tan estricta con mujeres como lo era con las chicas de la escuela.

–Ey –dije–. ¿Está Forman por aquí?

–Sí –contestó un poco más lento de lo normal, y sus palabras se apagaron un poco al final. Probablemente estaba cansada por el frenesí de actividad en el fin de semana: por lo general ella no trabajaba los domingos, pero un cadáver como este seguramente significaba muchas horas extras–. Está muy ocupado –explicó–. ¿Quieres hablar con él?

–Sí. Me dijo que lo contactara si recordaba algo más sobre el caso del Asesino de Clayton, y recordé algo. Sé que está ocupado en este momento, pero me pidió que viniera tan pronto como tuviera algo nuevo.

–Claro que sí –dijo Stephanie–. Regístrate.

Con mi visión periférica vi cómo levantaba el teléfono y lo ubicaba entre su oreja y su hombro. Con una mano marcaba, mientras con la otra hacía unos cuantos clicks en el mouse de su computadora.

–Hola, agente Forman, John Cleaver ha venido a verlo –pausa–. Dice que usted le pidió que viniera. Aparentemente recordó algo importante –volteó a mirarme y yo asentí–. Gracias, le diré que pase.

Stephanie colgó el teléfono y apuntó a la puerta de Forman.

–Solo tiene un par de minutos, pero puedes entrar.

Asentí y caminé a su oficina, en una vieja sala de conferencias justo pasando el vestíbulo. Forman me miró un instante cuando entré, luego regresó la mirada a la pila de papeles de su escritorio. La mesa de conferencias seguía cubierta con archivos y carpetas, como siempre.

–Siéntate, John –pidió–. ¿Dices que tienes algo nuevo?

–Así es –respondí, sentándome al final de la mesa–. Sé que estás ocupado, pero parecías realmente ansioso de escuchar cualquier cosa nueva que recordara, así que pensé que era mejor venir.

Forman alzó la vista y me miró por un segundo, con la cabeza inclinada hacia un lado.

—Es verdad —dijo después de un momento—. De hecho te iba a llamar ayer, pero luego encontramos este nuevo cadáver y todo se volvió una locura.

—¿Ibas a llamarme?

—Una nueva línea de investigación se ha abierto con respecto al caso del Asesino de Clayton, pero eso puede esperar. ¿Qué querías decirme?

—¿Una nueva línea de investigación? —no quería mostrar mis cartas tan rápido, en caso de que se mostrara muy poco impresionado y me mandara a casa; mejor prolongar la conversación e intentar obtener lo más posible desde el principio.

—Sí —respondió—, incluso antes de que encontráramos a la nueva víctima. Esto nos da dos nuevas pistas sólidas en solo un fin de semana. Podríamos decir que ha sido una gran semana, solo que no hay que decirlo enfrente de la familia de la víctima.

—¿Así que ya identificaron a la nueva víctima?

—Solo era una broma de mal gusto. Gracias por no ponerlo en evidencia —dijo con una sonrisa. Hizo una pausa, como si esperara que yo respondiera algo. Decidí que la mejor forma de evitar sospechas era hacerle la pregunta más obvia.

—Todo el mundo está diciendo que el Asesino de Clayton está de regreso, por el lugar en donde se encontró el cuerpo. ¿Crees que sea la misma persona?

—No lo creo —contestó sin quitarme la vista de encima—, pero creo que es alguien involucrado en los asesinatos anteriores. Quizá no sea el propio Asesino de Clayton, pero sí alguien que lo conocía. A lo mejor alguien que trabajaba con él.

–Los asesinos seriales no suelen tener cómplices.

–No, no suelen tenerlos –comentó–, pero tampoco es completamente imposible. Y que tengan relación no significa que sea necesariamente una relación cercana, o siquiera una buena relación. Podrían ser antagonistas, o tal vez rivales. Pudiera ser que el nuevo asesino está mostrándole al viejo que él pudo haberlo hecho mejor.

Estaba empezando a hacer otra pregunta, pero Forman me detuvo.

–Pero suficiente charla –dijo–. ¿Qué es lo que tienes?

Se lo dije, con la esperanza de que, si la conversación fluía bien, tal vez después pudiera volver a hacerlo hablar de la nueva víctima.

–El abrigo del asesino –dije–. Estaba usando un abrigo muy grande, como el de un obrero. No puedo recordar el color, porque estaba demasiado oscuro, pero el contorno era bastante reconocible.

El asesino real, el señor Crowley, no tenía realmente un abrigo como ese, pero no estaba tratando de ayudar a la investigación, solo hacer que Forman confiara en mí.

–Interesante –comentó–. ¿Qué te hizo recordarlo, si puedo preguntar?

Me había preparado para esa pregunta.

–Lo vi en un comercial, uno en el que salen muchas personas cantando villancicos con grandes abrigos en mitad del verano. No recuerdo de qué era, probablemente un celular o un camión o algo, pero tan pronto como vi el abrigo en uno de los tipos, tocó una especie de fibra en mi cabeza y supe que lo había visto antes.

–Interesante –repitió Forman–. ¿Estás diciendo que el tipo en el comercial es el Asesino de Clayton?

¿Qué?

–No, claro que no; probablemente hay millones de abrigos como ese –aclaré–. Claro que no estoy diciendo eso. Pero tú preguntaste qué me hizo recordarlo y eso fue.

Su comentario me preocupó, significaba que probablemente no me estaba tomando en serio. ¿Por qué no? ¿Algo que le había dicho le hizo pensar que estaba mintiendo?

–Sí, sí –dijo–. Lo sé. Solo estoy de un humor raro hoy, honestamente; falta de sueño. Solo olvídalo.

Giró en su silla y tomó una carpeta gruesa de una mesa baja detrás de él.

–Estaremos encantados de darle seguimiento a esa información, pero primero me preguntaba si tienes un minuto para discutir este otro asunto –volvió a rodar sobre su silla con una carpeta en la mano y quedó frente a mí.

–La nueva línea de investigación –dije, asintiendo con prudencia.

–Exactamente. Verás, hemos obtenido los expedientes del doctor Neblin.

Su expresión era constante y pasiva, pero sus palabras me golpearon como un mazo en las entrañas. El doctor Neblin era el hombre que me había diagnosticado el Trastorno de Conducta, y una de las tres personas en el mundo que sabía sobre eso; si Forman tenía sus expedientes, las leyes de confidencialidad en las que me había escondido durante meses se habían evaporado. Solo podía imaginar la sorpresa de Forman cuando descubrió que su testigo clave en el caso también era un sociópata.

–Hay muchas cosas interesantes ahí –dijo Forman, dejando la carpeta y abriéndola cuidadosamente–. Me hubiera gustado haberlos obtenido antes.

–Me sorprende un poco que tomara tanto tiempo –respondí, intentando sonar casual. Forman asintió.

–¿Cuánto de esto planeabas decirnos?

–Solo las partes que tenían relación con el caso –dije.

–¿Y cuánto es eso?

–Nada.

Forman volvió a asentir.

–Encontramos muerto al doctor Neblin del otro lado de la calle de tu casa. Tú estabas cubierto con su sangre, aunque afirmas que intentabas ayudarlo a escapar del Asesino de Clayton. Todo eso sonaba bastante creíble, especialmente considerando que tú fuiste uno de los que llamó a la policía esa noche. Pero esto... –dijo golpeteando la hoja con los dedos–. Esto cambia todo.

–¿Ahora que soy un sociópata repentinamente soy un sospechoso? ¿Es una especie de discriminación por discapacidad?

–Sí, él sugirió que podías tener tendencias sociopáticas –dijo Forman con una sonrisa–, pero hay mucho más ahí. Neblin señala varios cambios importantes en tu conducta después de que los asesinatos empezaron el otoño pasado. Cambios que se pueden interpretar, bajo cierta lupa, como los que se presentan entre un asesino potencial y uno practicante.

Quería protestar inmediatamente, decirle que no era un asesino, pero me detuve. Si protestaba demasiado me vería culpable. Era mejor recurrir directamente al abordaje sarcástico.

–Me has descubierto –contesté–. Yo maté al doctor Neblin. Con un hacha. *Sumergida en veneno.*

–Muy creativo –dijo sin sonreír–, pero nadie te está acusando de matar al doctor Neblin.

–La mayoría de las personas no usan veneno –continué, ignorándolo–, porque creen que el filo de un hacha grande es más que suficiente. Y tienen razón, pero yo digo que no tienen estilo.

Forman se encogió de hombros y extendió las manos.

–¿Qué estás haciendo?

–Confesando –respondí–. ¿No es lo que querías?

–El doctor Neblin no fue asesinado con un hacha.

–Entonces qué bueno que puse el veneno ahí.

Forman me examinó, como si estuviera en busca de algo, escuchando algo que solo él podía oír. Después de un momento preguntó:

–¿Alguna vez has querido matar a alguien?

–Vas a tener que arrestar a la mayoría del condado de Clayton si ahora resulta que querer matar a alguien es un crimen. Prácticamente lincharon a uno de los sospechosos, ¿sabes?

–Yo estaba allí –respondió, y apareció una mirada extraña en sus ojos–. Las multitudes pueden hacer que la gente piense y sienta cosas inimaginables. Sin embargo, tu caso es diferente, tienes que admitirlo.

–No maté a nadie –dije, tratando de sonar tan casual como me era posible, como si estuviera siguiendo la broma más que defendiendo mi inocencia–. Sería bastante estúpido ir directo a la estación de policía si yo hubiera sido.

Supe tan pronto como lo dije que ese era un mal argumento: los asesinos seriales a menudo se inmiscuían en sus propias investigaciones. Edward Kamper incluso se ofreció como voluntario en la estación de policía, y era buen amigo de la mayoría de los policías involucrados en el caso. Esperé a que Forman lo pusiera en evidencia, pero no lo mencionó.

–Lo que más me fascina –agregó, casi para sí mismo–, es que no lo vi antes –dijo frunciendo el ceño y arrugando la comisura de la boca, lo que usualmente significaba que la persona estaba confundida–. Soy un criminólogo, John, me gano la vida identificado sociópatas. ¿Cómo fuiste capaz de escondérmelo?

Por mis reglas, pensé. *No quiero ser un asesino, así que tengo reglas que me ayudan a mantenerme tan normal como cualquiera.*

Bueno, normal en la superficie. En alguna parte dentro de mí, el Señor Monstruo estaba esperando a que yo cometiera un error. Igual que Forman, al parecer.

–No soy realmente un sociópata –respondí, escondiéndome detrás de la definición–. Tengo un Trastorno de Conducta, lo que significa que está menos desarrollado. La gente de mi edad rara vez se convierte en asesino serial.

–Rara vez –repitió–, pero llega a ocurrir.

–Estaba en terapia para manejarlo –dije–. Sigo reglas estrictas para ayudarme a evitar tentaciones. He sido completamente abierto sobre mi involucramiento en este caso, y te he mantenido al tanto de cada paso del proceso. Estoy intentando ser el chico bueno aquí, así que no lo vuelvas en contra mía.

Forman se quedó mirándome un momento, mucho más largo de lo que había esperado, luego tomó una libreta y empezó a garabatear algo.

—Gracias por la pista sobre el abrigo del asesino –dijo. Luego arrancó la hoja de la libreta y me la dio: era su número telefónico–. Si recuerdas algo más no te molestes en venir; solo llámame.

Me estaba echando y yo todavía no había obtenido mucha información sobre el nuevo cadáver. Pensé en hacerle otra pregunta, pero era demasiado peligroso: estaba dejándome ir sin más preguntas, lo que significaba que quizá lo había convencido de mi inocencia. No había razón para levantar sus sospechas otra vez al hacerle preguntas sobre un cadáver. Tomé la hoja, asentí, y me fui.

—¡Cómo pudiste hacerlo! –gritó mamá, caminando de un lado a otro por toda la sala. Yo estaba sentado en el sofá, deseando estar en otra parte–. Después de todo lo que hemos hecho, después de las reglas y la terapia y todo lo que hacemos para ayudarte a encajar, ahora el agente Forman cree que eres un sospechoso.

—Técnicamente la terapia es la principal culpable aquí –contesté.

—El mayor culpable eres tú –dijo, deteniéndose y mirándome con severidad–. Si no te hubieras involucrado en esto en primer lugar, el FBI ni siquiera sabría quién eres.

—Estaba tratando de ayudar –respondí, por enésima vez en los últimos cinco meses–. ¿Debía simplemente quedarme sentado?

–¡Sí! –gritó–. Puedes simplemente quedarte sentado, no tienes que corregir todo lo que ves que está mal, así como no tienes que salir a la mitad de la noche para que un asesino pueda perseguirte hasta tu casa.

Así que de esto se trataba realmente, tenía miedo de que persiguiera a otro asesino y me mataran. ¿Cuántas peleas habíamos tenido sobre el tema? Puse los ojos en blanco y me di la vuelta.

–No me ignores –dijo. Caminó enfrente de mí para taparme el paso, con los ojos abiertos e implorantes–. No te estoy pidiendo que nunca ayudes, tú sabes que yo quiero que seas una buena persona, solo... me gustaría que te mantuvieras lejos de ciertas cosas. Es una de nuestras reglas, de hecho: "Cuando estés pensando en matar, piensa en algo más". En cualquier cosa. Pero no salgas corriendo a meterte en medio del problema –su rostro se derrumbó e hizo una mueca–. Es solo que... ¡no puedo creer que hayas hecho esto!

–Y yo no puedo creer que me estés pidiendo que me quede sin hacer nada mientras asesinan a alguien –respondí.

–¡No se trata de eso! –gritó–. Se trata de que no te metas en problemas.

–Lo que se traduce en dejar a otras personas en problemas –repliqué–. Esa noche salí para tratar de salvar a nuestros vecinos de un asesino.

–Y fue muy valiente de tu parte, y muy estúpido. No persigues a un asesino por la misma razón por la que no te metes a un edificio en llamas.

–¿Solo te quedas afuera y escuchas los gritos?

–¡Llamas a la policía! –respondió–. Llamas a los bomberos,

llamas a los paramédicos; dejas que otras personas que saben lo que están haciendo hagan su trabajo.

—Era un monstruo, mamá, la policía no podría haber hecho…

—John…

—¡Tú lo viste! —grité—. ¡Tú lo viste con tus propios ojos, así que deja de pretender que no era real! Era un monstruo, con colmillos y garras, y yo lo detuve, ¡y en vez de tratarme como a un héroe me estás tratando como si estuviera loco!

—Aquí no hablamos de eso…

—¡Sí, sí hablamos! —sentía un dolor agudo cada vez que ella lo negaba, como un cuchillo en mi pecho. Podía sentir un agujero dentro de mí volviéndose más grande, más profundo, más oscuro… La necesidad de matar, insatisfecha por tanto tiempo, se volvía cada vez más difícil de resistir—. ¡No puedo pretender que no era real por más tiempo, así como no puedo quedarme sentado aquí mientras matan a todos los que conozco!

—No estamos seguros de que…

—¡Tú lo viste! —grité otra vez. Me ardían los ojos—. ¡Tú lo viste! Por favor deja de decir que no; por favor no me hagas esto.

Se quedó callada, mirándome. Observando. Pensando. El teléfono sonó. Nos quedamos mirándolo. Sonó otra vez. Mamá contestó.

—¿Diga? —se quedó escuchando un momento, negando con la cabeza—. Un minuto por favor —dijo, luego cubrió el auricular y me miró—. Esta discusión no ha terminado —aseguró—. Ahora regreso para terminar de hablar de esto.

Descubrió el teléfono y caminó hacia su habitación.

—Solo un momento, señora —pidió, y cerró la puerta. Me fui de inmediato, intentando escabullirme sin hacer ruido cuando lo único que quería hacer realmente era romper algo. Fui hacia mi coche y encendí el motor, me eché en reversa en una amplia curva para salir de frente por el único sentido de la calle. Mamá me miró a través de las cortinas y gritó algo por la ventana pero no me persiguió. ¿Creía que me estaba escapando, o sabía la verdadera razón?

Que me estaba yendo para no hacerle daño.

El rugido del motor era oscuro y hambriento, como una bestia liberándose de su jaula. El Señor Monstruo quería embestir a cada coche que pasaba; atropellar a cada persona que veía; estrellar el coche en cada poste de cada esquina del pueblo. Luchaba contra él mientras conducía, con las manos fijas en el volante y la velocidad baja.

Había veces en las que necesitaba estar solo, pero más importante aún, había veces en las que quería estar solo pero sabía que era una mala idea. Solo –en las orillas del Lago Freak, iniciando incendios en el almacén, escondiéndome afuera de la ventana de alguien–, no podía confiar en mí mismo. No esta noche. Necesitaba a otras personas, y necesitaba a aquellas que no me iban a juzgar, amenazar o condenar. Lo que necesitaba era al doctor Neblin, pero se había ido para siempre.

¿Brooke? Su presencia probablemente me calmaría, ¿pero cuánto tiempo tomaría y cuánto iba a ver mientras tanto? No podía arriesgarme a horrorizarla, no cuando finalmente empezaba a gustarle. Podía visitar a Max, y sentarme a escucharlo hablar de sí mismo o de sus comics. Pero era seguro que tarde o temprano empezaría a hablar sobre su papá, y no quería lidiar con eso esta noche. Por desgracia, ahí acababan básicamente las personas que conocía.

Con excepción de Margaret. Di la vuelta y me dirigí hacia su barrio, respirando profundamente y conduciendo con lentitud. No quería arriesgarme a tener un accidente, y no quería que una velocidad imprudente se convirtiera en una tentación para estrellar el coche contra un blanco oportuno. Margaret era la feliz de la familia; la simple, la racional. Todos podíamos hablar con Margaret porque nunca tomaba bandos y nunca empezaba peleas. Era nuestro refugio.

Me estacioné frente a su apartamento y pude verla a través de la ventana, hablando por teléfono. Probablemente era mamá, advirtiéndole que el loco John de siempre estaba causando problemas otra vez. Lancé una maldición y arranqué de nuevo. ¿Por qué no me dejaba en paz?

Había un lugar en el que sabía que me podía alejar de ella: Lauren vivía a tan solo unas cuadras de distancia, en un apartamento propio. Ella y mamá no se habían hablado desde el Día de la Madre, y antes de eso apenas se dirigían la palabra. No había forma de que mamá la llamara, y si lo hiciera Lauren no le contestaría.

Me detuve en frente para ver si estaba la furgoneta de Curt, pero no estaba ahí. Dejé escapar un suspiro que no sabía que estaba sosteniendo. Esta no era la noche para buscarlo; necesitaba estar calmado y olvidar todo lo concerniente a cuerpos, a investigaciones y a todo. Me estacioné y caminé al complejo de edificios, intentando recordar cuál era su apartamento. Solo había venido una vez antes. Las escaleras eran de losas de concreto desmoronadas e incrustadas en un marco de metal oxidado, y las paredes de ladrillo resplandecían rojas bajo el sol de la tarde. Era la tercera o la cuarta puerta… La tercera puerta tenía un periódico enrollado, envuelto en plástico sucio. La descarté y toqué en la cuarta.

Lauren abrió la puerta, y su boca se transformó en una sonrisa casi tan pronto como sus ojos se abrieron por la sorpresa; casi tan pronto, aunque no del todo.

–¡John! ¿Qué haces aquí?

–Solo dando una vuelta en el coche –respondí, concentrándome en respirar lenta y uniformemente.

–Bueno, pasa –dijo, dando un paso atrás e invitándome con la mano a entrar–. Siéntete como en casa.

Crucé la puerta y me metí a su casa, disperso e inseguro. No estaba aquí para algo en específico, solo necesitaba estar en alguna parte, y este era el único lugar para hacerlo. Ahora que estaba aquí, no sabía qué hacer.

–¿Tienes sed? –preguntó Lauren, cerrando la puerta.

–Seguro –murmuré. Su apartamento estaba limpio y vacío, como una concha de caracol bien cuidada. La mesa de la cocina estaba rayada, con tiras arrancadas del revestimiento de plástico, exponiendo la madera de debajo, pero estaba lavada y sin manchas, y todas las sillas hacían juego. Los vasos en su alacena eran pocos y no hacían juego, y el agua del grifo chisporroteó erráticamente cuando lo abrió. Me pasó el vaso con una sonrisa.

–Lo siento, no hay hielo.

–Está bien –dije. Realmente no quería tomar agua, pero le di un trago por educación.

–Así que… ¿qué hay de nuevo? –preguntó Lauren, caminando hacia la sala y dejándose caer en el colchón.

La seguí lentamente, sintiendo cómo el remolino de tensión

dentro de mí empezaba poco a poco a perderse en la distancia. Me senté mecánicamente.

–Nada –contesté–. La escuela –quería hablar, pero me sentía mejor simplemente sentado ahí, sin decir nada. Lauren me miró un momento y su energía se apagó visiblemente mientras estudiaba mi rostro. Sabía lo que pasaba.

–¿Mamá?

Suspiré y me froté los ojos.

–No es nada.

–Lo sé –dijo, subiendo los pies al sofá y apoyando la mejilla en las rodillas–. Siempre es nada.

Le di otro trago al agua. No había dónde poner el vaso, así que volví a tomar un sorbo.

–¿Sigue enojada? –preguntó Lauren.

–No contigo.

–Lo sé –respondió, mirando a la pared–. Tampoco está enojada contigo. Está enojada consigo misma. Está enojada con el mundo por no ser perfecto.

Lauren era rubia, como papá, mientras que mamá y yo teníamos el pelo negro azabache. Siempre las había visto como polos opuestos, tanto en lo físico como en la personalidad, pero bajo esta luz les encontré un parecido que nunca antes había notado. Quizá eran las sombras en sus ojos, o la forma en la que su boca caía hacia abajo en las comisuras. Cerré los ojos y me recosté.

Alguien tocó a la puerta y se me retorció el estómago hasta volverse un nudo apretado otra vez.

–Ese seguro es Curt –aseguró Lauren, poniéndose de pie de un salto. Escuché que la puerta se abría detrás de mí, y luego oí la voz de Curt.

—Hola, guapa... oh, Jim está aquí.

—John —lo corrigió Lauren.

—John. Lo siento hermano, soy pésimo con los nombres.

Rodeó la silla en la que yo estaba y se sentó en el sofá, atrayendo a Lauren hacia él. Quería pararme e irme en ese mismo instante, pero algo me detuvo. Tomé un trago de agua y miré al frente.

—¿Sigues sin hablar? —preguntó Curt—. ¿Te das cuenta de que nunca lo he escuchado hablar? Di algo, hermano, ni siquiera sé cómo suena tu voz.

Había tantas cosas que quería decirle, tantos insultos y humillaciones y amenazas que se me habían ocurrido desde la última vez que lo vi. Ninguno de ellos salió. No tenía miedo de nadie, le había respondido a los matones de la escuela, había desafiado a un agente de FBI en la cara y me había enfrentado yo solo con un demonio, pero por alguna razón me acobardaba frente a Curt. Algo dentro de mí parecía inerte al lado de él. ¿Por qué?

—¿Él puede tomar algo y yo no? —preguntó Curt—. ¿Qué, no hay amor para el novio?

Lauren le dio una palmada juguetona en el hombro y se paró a servirle un vaso de agua.

—Y ponle hielos esta vez —Curt me sonrió—. Tu hermana es como la reina de la lava; seguro la va a poner en el microondas.

Lauren abrió el grifo y Curt se volteó para gritar hacia la cocina.

—No, agua no, nena, refresco.

—Se me acabó —dijo Lauren—. Iré de compras este fin de semana.

–Como sea –respondió Curt. Luego se volteó hacia mí–. Siempre se le olvida algo. Mujeres, ¿eh?

Eso era lo que me tenía así, aquello que me hacía bajar la cabeza: era exactamente como mi papá. Era la forma en la que trataba a las personas, sociable y alegre pero completamente apartado. Distante. Estaba tan fascinado consigo mismo que no había espacio para nadie más, éramos el público de sus chistes, y un espejo para reflejar sus acciones, pero no éramos amigos y no éramos familia.

Y cuando los otros hacían sus propias acciones en vez de reflejar las suyas, ¿Curt explotaba como Papá? ¿Le gritaba a Lauren? ¿Le pegaba?

–Sigues sin decir nada –insistió Curt, tomando el vaso de la mano de Lauren y recostándose en el sofá. Lauren se acurrucó bajo su brazo.

–Ya estaba por irme –dije, poniéndome de pie. No podía estar con él por más tiempo. Me quedé de pie un momento, como esperando su permiso, luego me forcé a dar la vuelta y caminé hacia la cocina.

–¡Pero si acabas de llegar! –contestó Lauren, poniéndose de pie–. No te vayas todavía.

–No te dejes asustar por mí –dijo Curt.

Dejé mi vaso en la mesa, luego lo pensé mejor y lo moví a la encimera de la cocina. Había dejado un aro de humedad sobre la mesa que limpié con mi mano.

–Podemos ver una película –dijo Lauren–. No tengo muchas, pero hay una... hay una de un chico cursi que me envió papá por Navidad. *Los más torpes del Oeste.*

Se rio y Curt se quejó.

–¡Por favor, no! –exclamó.

–Está bien –contesté–. Me tengo que ir.

–Ahora tu película lo ahuyentó –dijo Curt, todavía echado en el sofá–. Ey, Lauren, ¿quieres que pidamos una pizza?

–Adiós, Lauren –saludé, y me apresuré a salir.

–Adiós, John –contestó, con su voz más aguda de lo normal. Estaba preocupada–. Vuelve pronto.

El Señor Monstruo prometió, en silencio, que volvería a visitar a Curt tan pronto como le fuera posible.

CAPÍTULO 9

L a noche en la que la escuela terminó, me paré en el baño frente al espejo, apoyándome en el lavabo. Cualquier otro adolescente se habría estado mirando a sí mismo, supongo, o peinándose o poniéndose loción para las espinillas o acomodándose el cuello de la camisa para que estuviera perfecto. Era la noche de mi cita con Brooke, después de todo, y necesitaba alistarme, pero eso significaba algo muy diferente para mí que para los demás. Yo no trataba de verme bien sino de *ser* bueno.

—No voy a lastimar animales —recité, ignorando la hoja con reglas y mirándome directo a los ojos—. No voy a lastimar personas. Cuando piense cosas malas de alguien, voy a alejar mis pensamientos y decir algo bueno sobre esa persona. No voy a llamar a las personas "eso". No voy a amenazar a nadie. Si alguien me amenaza, voy a abandonar la situación.

Me miré más intensamente en el espejo, buscando. ¿Quién me devolvía la mirada? Se veía como yo, hablaba como yo, su cuerpo se movía cuando yo lo hacía. Me balanceé a la derecha, luego a la izquierda, luego otra vez al centro; la persona en el espejo hizo lo mismo. Eso era lo que más me aterrorizaba de mí, más que la víctima, más que el demonio, incluso más que mis oscuros pensamientos. Era el hecho de que los oscuros pensamientos eran míos. Que no podía separarme del mal, porque la mayoría del mal en mi vida venía de mi propia cabeza.

¿Cuánto tiempo podía vivir así? Estaba intentando ser dos personas: un asesino por dentro y una persona normal por fuera. Hacía una gran puesta en escena simulando ser un chico bueno y tranquilo, que nunca causaba problemas y nunca se metía en líos, pero ahora el monstruo estaba afuera y yo estaba usándolo… estaba activamente buscando otro asesino. Me había dado por vencido. Estaba intentando ser John y el Señor Monstruo al mismo tiempo.

¿Me estaba engañando, pensando que podía dividir mi vida así? ¿Era posible ser dos personas, una buena y una mala, o estaba forzado a ser una mezcla de las dos, una buena persona eternamente tentada por el mal?

Sentí un ardor en la garganta y vomité en el lavabo. No debería estar saliendo con Brooke, era peligroso. Ella era algo que tanto el Señor Monstruo como yo queríamos, lo que la hacía el hueco de mi armadura. Era el vínculo entre nosotros, y cualquier cosa que fortaleciera el vínculo haría al Señor Monstruo más fuerte. Solo podía esperar que me hiciera más fuerte a mí también. Estaba empezando una batalla que solo uno de los dos podía ganar. ¿Pero Brooke era el premio? ¿O el campo de batalla?

—¡Hola, John!

Brooke abrió la puerta de su casa muy rápido; seguramente estaba esperando a que tocara. Traía shorts, como de costumbre, aun cuando íbamos a estar fuera hasta tarde. Se suponía que haría calor esta tarde, así que probablemente no tendría problema, aunque si le daba demasiado frío siempre podíamos ir a la fogata. Todos ganábamos. A pesar de sus shorts, traía puesta una chaqueta, aunque me contuve de mirar su blusa para no mirar su pecho.

¿Qué clase de cita deschavetada iba a ser esta, si ni siquiera sabía qué clase de blusa estaba usando mi acompañante? ¿Era tan insensato como a mí me parecía? ¿Cuánto tiempo pasaría antes de que se diera cuenta de que yo estaba loco? Lo único que quedaba por hacer era lo que siempre hacía: fingir.

—Hola, Brooke —saludé—. Linda blusa.

—Gracias —respondió, sonriendo y mirándosela—. Pensé que era apropiada, considerando que es una cosa de la escuela.

Mantuve la mirada fija en su cabello largo, que llevaba suelto como una cascada rubia. Se veía como un anuncio de shampoo. Me imaginé a mí mismo lavándolo, cepillándolo suavemente, muy suavemente, mientras ella permanecía inmóvil en la mesa de embalsamamiento.

Me forcé a abandonar el pensamiento y sonreí.

—Esto será divertido. ¿Estás lista?

—Sí… —contestó cerrando la puerta, pero alguien la llamó desde el pasillo.

–¿Brooke? –era su papá.

–Sí, papá –contestó–. Aquí está John.

El señor Watson salió a la entrada y sonrió.

–¿Van a la Fogata?

–Sí –respondí.

–Bueno, tengan cuidado –comentó–. Con una bola de chicos reunidos a la mitad de la noche, nunca sabes cuándo uno de ellos va a hacer algo estúpido y lastimar a alguien. Pero supongo que mi bebé está en buenas manos, ¿cierto?

Era aterrador qué poco sabía la gente de mí.

–Estaremos bien –asintió Brooke, sonriéndome–. Además –agregó, mirando a su papá–, también va a haber profesores, es como una actividad escolar real.

–Estoy seguro de que todo saldrá bien –dijo el señor Watson.

Salió al porche y me puso una mano en el hombro, llevándome unos pasos lejos de Brooke. Giré a mirarla y ella puso los ojos en blanco.

–Siempre me imaginé qué haría la primera vez que mi hija saliera en una cita –dijo. Brooke suspiró con fastidio detrás de nosotros.

–Papá…

–Siempre me imaginé amenazando al chico que la invitara a salir, ¿sabes? "Tengo una pistola y una pala", este tipo de cosas. Pero no creo que eso te fuera a asustar, después de todo lo que has pasado.

No sabía ni la mitad.

–La cosa es que –continuó, mirándome directamente–, las cosas por las que has pasado te hacen bastante recomendable para el trabajo. Cada vez que imaginaba esto en mi cabeza, ella estaba subiéndose en la parte de atrás de una motocicleta Harley de un pandillero e ignorándome mientras me despedía.

–Ay, por Dios –exclamó Brooke, poniéndose roja y cubriéndose el rostro. El señor Watson continuó:

–Supongo que lo que quiero decir es que, dadas las opciones, me alegro de que en vez de eso haya elegido al héroe local.

¿Qué?

–¿Héroe? –pregunté.

–Y humilde para rematar –dijo, dándome una palmada en el hombro.

–Pero bueno, no les quitaré más tiempo, fue a ella a la que invitaste a salir, no a mí. Brooke, ¿recuerdas las reglas?

–Sí –contestó, lista para irse.

–¿Y?

–No beber, no conducir rápido y estar en casa antes de medianoche –recitó, poniendo otra vez los ojos en blanco.

–¿Y tienes tu teléfono? –le preguntó.

–Sí.

–¿Y me vas a llamar si…?

–Si nos perdemos o nos quedamos atorados en alguna parte.

–¿Y a la policía si….?

–Si vemos drogas o alguien empieza una pelea.

–O si trata de besarte –agregó. Brooke se ruborizó y el señor Watson se rio y me guiñó el ojo.

–Héroe o no, sigues estando con mi nena.

–Mierda, no lo puedo creer –murmuró Brooke, tomándome del brazo y arrastrándome hacia el coche–. Vayámonos de aquí. ¡Adiós papá!

–¡Adiós, gordita! –gritó.

—¿Te dice gordita? —le pregunté. Brooke era delgada como un fideo.

—Apodo de bebé —contestó, agitando la cabeza con disconformidad, aunque pude ver que estaba sonriendo. Me paré frente a la puerta del copiloto.

Y me quedé parado un poco más.

Me di cuenta abruptamente de que estaba esperando a que yo se la abriera. Giré a mirarla rápidamente, luego miré la puerta. Era *su* puerta. Una de las cosas que nunca había tocado. Volví a mirarla un segundo, apenas lo suficiente como para notar que sus cejas se arrugaban ligeramente: estaba confundida. Si tardaba más tiempo en decidirme, o si hacía que ella abriera la puerta, ¿qué pensaría? Ya me había visto observar la puerta y luego mirarla a ella; no podía fingir ignorancia o malos modales en este punto, no si no quería verme como un completo idiota. Estiré la mano y abrí la puerta, imaginando mientras lo hacía todas las veces que su mano había tocado la misma puerta y sus dedos habían presionado la misma manija. En cuanto se quitó el seguro solté la manija y tomé la puerta de la parte superior para abrirla desde ahí.

—¿Le pasa algo a la manija? —preguntó.

—Había una avispa ahí hace rato —contesté, pensando rápidamente—. Creo que estaba tratando de construir un panal.

—Parece un lugar raro para hacer eso —dijo.

—Eso es porque tú no eres una avispa —respondí, sosteniendo la puerta mientras ella se sentaba—. Es el último grito de la moda para las avispas.

—¿Y estás al tanto de las tendencias de moda de las avispas? —preguntó con una sonrisa pícara.

—Leí una de sus revistas –dije–. No era mía, claro, la vi en la peluquería. Era eso o Alces ilustrados, y tenía que leer algo.

Brooke se rio, y cerré la puerta. ¿Cuánto tiempo más podría mantener esto? Eran las seis de la tarde y su papá quería que regresáramos a medianoche. ¿Seis horas?

Tratar de verme normal cuando era uno en la multitud era sencillo. Tratar de verme normal uno a uno iba a implicar mucho esfuerzo. Caminé a mi puerta y me subí al coche.

—Va a ser raro ver un gran fuego que tú no empezaste –dijo Brooke. Me paralicé. ¿Qué sabía ella? ¿Qué había visto? Su voz sonaba tan casual pero… tal vez había alguna clave oculta debajo que yo no había captado. ¿Me estaba acusando? ¿Me estaba amenazando?

—¿A qué te refieres? –pregunté, mirando al frente.

—Ah, pues ya sabes, como las grandes fogatas que Crowley solía hacer en su patio, como en las fiestas vecinales y eso. Tú eras siempre el que las encendía.

Suspiré, aliviado. Literalmente suspiré, como si hubiera estado conteniendo el aliento sin saberlo. *No sabía nada. Solo estaba siguiendo la conversación.*

—¿Estás bien? –preguntó. Encendí el coche y sonreí.

—Muy bien –*necesitaba una excusa rápido. ¿Qué diría una persona normal en esta situación? Las personas normales tienen empatía, por lo que reaccionarían a las personas de la historia, no al fuego–*. Solo estaba pensando en los señores Crowley –dije–. Me pregunto si la señora Crowley seguirá organizando esas fiestas.

Arranqué y conduje hacia el pueblo.

—¡Ay! –exclamó Brooke–. Lo siento mucho; no era mi intención sacar el tema así. Sé que eras muy cercano del señor Crowley.

–Está bien –respondí. Tuve que forzarme para continuar. Me había prohibido hablar con ella durante tanto tiempo que era difícil hablar libremente–. Ahora que no está, lo veo en retrospectiva y creo que nunca lo conocimos realmente.

Nadie lo conoció. Ni siquiera su esposa.

–Sí, me sucede lo mismo –dijo Brooke–. He vivido aquí la mayor parte de mi vida y él vivía allí, a dos casas de la mía y sin embargo realmente nunca lo conocí. Lo veíamos en esas fiestas, claro, y cuando pedíamos dulces para Halloween o cosas así, pero siento que debí haber… no sé, hablado más con él, ¿sabes? Como de dónde venía y cómo era cuando era niño, cosas así.

–Me hubiera encantado saber de dónde venía –respondí.

Y si había más como él.

–Me encanta hablar con las personas y escuchar sus historias –siguió Brooke–. Todos tienen una historia que contar, y cuando te sientas con alguien y realmente hablas con ellos, puedes aprender muchísimo.

–Sí –dije–, pero eso también es un poco raro –estaba empezando a encontrar un ritmo, donde las palabras venían más fácil.

–¿Raro?

–Bueno… es raro ver a las personas y pensar que tienen un pasado –dije. ¿Cómo podía explicar lo que quería decir?–. O sea, obviamente todos vienen de algún lugar, pero… –señalé a un tipo que estaba a un lado de la calle mientras pasábamos–. Mira a ese tipo. Es solo un tipo, y lo hemos visto una vez, y luego ya no está.

–Ah, ese es Jake Symons –contestó Brooke–. Trabaja con mi papá en la fábrica de madera.

–A eso me refiero –dije–. Para nosotros él es como... escenografía, en el fondo de nuestras vidas, pero para él, él es el personaje principal. Tiene una vida, un trabajo y toda una historia. Es una persona real. Y para él, *nosotros* somos la escenografía de fondo. Y ese tipo –señalé a otra persona de la calle–, ni siquiera está mirando. Puede ser que no nos note en absoluto. Somos el centro de nuestros propios universos, pero nosotros ni siquiera existimos en el suyo.

–Ese es Bryce Parker –aclaró Brooke–, de la biblioteca.

–¿Conoces a todos en Clayton –pregunté–, o solo estoy escogiendo malos ejemplos? –Brooke se rio.

–Voy a la biblioteca cada semana, ¡por supuesto, lo conozco!

–¿Y qué me dices de ese tipo? –señalé a un hombre que cortaba el pasto a unos treinta metros.

–No, no lo conozco –dijo Brooke, mirándolo detenidamente.

Lo pasamos en el coche y en el último instante se volteó en dirección a nosotros, dejándonos ver bien su cara. Brooke se echó a reír.

–Está bien, está bien, sí lo conozco: ese es el tipo de la ferretería de Graumman, eh…. ¡Lance!

–¿Lance qué?

–Lance Graumman, supongo –dijo Brooke–. Es un negocio familiar.

–Sabes mucho más sobre la ferretería de lo que habría adivinado –respondí. Brooke se rio otra vez.

–El verano pasado remodelamos el baño del piso de arriba y creo que nunca le atinamos al tamaño de las piezas que necesitábamos. Iba muy seguido.

–Eso lo explica.

Se sentía raro hablar con ella, conversando con tanta libertad sobre nada. Había fantaseado con ella por tanto tiempo, y me había prohibido comunicarme con ella en cualquier nivel, que incluso una simple conversación casual se sentía poderosamente íntima. Íntima y vacía al mismo tiempo. ¿Cómo podía ser que tales tonterías sin sentido se sintieran tan significativas?

Dimos vuelta por la carretera que iba hacia el lago, a las afueras del pueblo, y quedamos detrás de otro par coches, llenos de chicos de la escuela. Les examiné la nuca, esperando poder reconocerlos y así enseñarle a Brooke que yo también conocía a otras personas, pero aunque sabía que los había visto antes, no recordé sus nombres. Eran unos cuantos años más grandes que nosotros, así que nunca había interactuado realmente con ellos.

—¡Ey! —dijo Brooke—. ¡Esa es Jessie Beesley! Aunque ese no es su novio, quién sabe qué pasaría ahí.

El sol aún estaba alto, y yo ajusté la cosita esa del coche para tapar el sol.

—Conoces a cada persona del pueblo —dije—, y yo ni siquiera sé cómo se llama esta cosa.

—Es el… —Brooke hizo un gesto de querer recordar—. ¿La cosa que bloquea el sol? —se rio.

—¿Pero cómo se llama? Es una sombra. Un bloqueador. Una pequeña marquesina.

—Es un paraguas plano, podrías ponerle encaje y llamarlo sombrilla —dijo Brooke—. Sería *precioso*.

Giré a mirarla de reojo y tenía una sonrisa pícara. Soy bastante bueno para leer a las personas, para ser un sociópata, pero el sarcasmo es muy difícil de identificar.

Al verla, mi mente me llevó de vuelta a las palabras de su papá y la confianza que puso en mí para cuidar de ella. Me había llamado un héroe, a mí, al loco, al sociópata obsesionado con la muerte que trabajaba en una funeraria y había escrito todos sus trabajos de la escuela sobre asesinos seriales. Un héroe. Me despertó pensamientos que ya casi se me habían olvidado: había estado tan concentrando en *cómo* matar a un demonio y en las consecuencias psicológicas de hacerlo que casi se me había olvidado *por qué*. Me había concentrado tanto en "matar al malo" que "salvar a los buenos" había quedado a un lado y se me había olvidado.

Pero nadie sabía que había matado a un demonio. Incluso mamá hacía su mayor esfuerzo para olvidar lo poco que entendía sobre la verdadera historia detrás de esa noche de enero. Todo lo que sabía el señor Watson era que yo había estado afuera esa noche, que había movido el cuerpo del doctor Neblin y que había llamado a la policía. ¿Eso era suficiente?

—Me pregunto qué tendrán de comer —dijo Brooke, sacándome de golpe de mis pensamientos, que habían dejado un vacío de silencio en el coche—. Supongo que habrá hot dogs; no sé qué más podrías comer en una fogata.

Mierda. No se me había ocurrido que la comida probablemente sería carne. *¿Qué iba a comer?*

Solo di algo, me dije a mí mismo.

—Tal vez tengan malvaviscos —fue todo lo que se me ocurrió—. Esos son buenos para comer en una fogata. Y para las ardillas con muy poco sentido de dirección o de supervivencia —Brooke se rio otra vez.

–Tendría que ser una ardilla muy confundida para que se paseara por una fogata.

–O una con mucho frío.

–Podrían prender la fogata arriba de un hoyo de topo –continuó Brooke–, y así saldrían precocinados, como una máquina expendedora.

Guau. ¿De verdad acababa de hacer ese chiste?

–Lo siento –se disculpó Brooke–, eso fue un poco grotesco.

La miré con nuevos ojos. Ella giró a mirarme y sonrió. ¿Pensaba que yo era un héroe?

¿Pensaba que yo era bueno?

Me estacioné a un lado de la carretera, al final de una larga fila de coches; había un campo más adelante donde grandes grupos solían estacionarse para hacer fiestas junto al lago, pero la Fogata siempre atraía a una gran multitud y los escasos lugares de estacionamiento hacían que el tráfico se desbordara por más de medio kilómetro. Mientras caminábamos hacia la fiesta observaba a cada persona con la que nos cruzábamos –otros estudiantes que conocía desde hacía años– como si la mirara por primera vez. ¿Esa persona creía que yo era un héroe? ¿Y esta otra? Era la primera vez en mi vida que asumía que la gente pensaba cosas buenas de mí, en vez de malas, y no estaba seguro qué pensar.

Pero me gustaba.

–Me encanta el olor –dijo Brooke, caminando con las manos en los bolsillos de la chaqueta–. Esa brisa fresca del lago mezclada con el humo de la fogata y el olor verde de los árboles.

–¿Olor verde? –pregunté.

–Sí –dijo–. Me encanta el olor verde.

–El verde no es un olor –negué–, es un color.

–Bueno, sí, pero... ¿no lo hueles? Los árboles, los juncos y la hierba a veces huelen... verde.

–No puedo decir que esté familiarizado con el olor del verde –dije.

–Ahí está Marci –señaló–. Preguntémosle.

Miré hacia donde Brooke estaba señalando e inmediatamente desvié la vista; Marci llevaba un top escotado que prácticamente gritaba "Mira estas". Miré los pies de Brooke mientras caminaba hacia Marci y mantuve mi vista en el suelo; solo porque estuviera rompiendo algunas de mis reglas para estar con Brooke no significaba que iba a bajar la guardia y romperlas todas.

Mirarle los senos a una mujer estaba estrictamente prohibido.

–¡Brooke! –gritó Marci–. Te ves muy sexy, me encanta la blusa.

Demonios, de verdad quería saber cómo se veía su blusa.

–Me da gusto verte –saludó Brooke.

–Y John –dijo Marci–. No esperaba verte aquí, qué genial.

–Gracias –le respondí, mirándole los pies. Luego, para no parecer tan raro, levanté la vista, primero hacia el rostro de Brooke, luego hacia el de Marci. Pude notar con mi visión periférica que la línea de su escote era prominente y desvié la vista hacia el otro lado del lago.

–Linda noche.

–Tienes que responder esta pregunta –dijo Brooke–. ¿Los árboles huelen verde?

–¿Qué? –preguntó Marci, riéndose.

–¡Verde! –repitió Brooke–. Los árboles aquí huelen verde.

–Estás loca –contestó Marci.

–¿Quién está loca? –preguntó Rachel Morris, uniéndose al grupo. Le sonreí educadamente, agradecido de que estuviera vestida más modestamente que su amiga.

–Brooke dice que los árboles huelen verde –dijo Marci, conteniendo la carcajada.

–Totalmente –respondió Rachel, asintiendo con la cabeza.

–Todo este lugar huele verde… y un poco color café, por el humo.

–¡Exacto! –exclamó Brooke.

–¿Puedes creer a estas dos? –preguntó Marci, volteando a mirarme. Clavé la mirada en su oído, tratando de no ver nada más.

–Debe ser una alucinación compartida –respondí, luego me detuve antes de continuar por la vereda de las hipótesis psicológicas. Posiblemente esa no era el tipo de charla casual que pudiera resultar bien con esta gente.

Se sentía raro estar hablando con Marci, en parte por la forma en la que estaba vestida, pero sobre todo por el simple hecho de que no nos conocíamos muy bien. Igual que con las personas en el coche delante de nosotros, Marci era alguien a quien "conocía", en teoría, pero en la práctica nunca habíamos conversado o interactuado realmente. Giré a mirar rápidamente a la masa de adolescentes, gente con la que había crecido, pero con quienes prácticamente no había tenido contacto directo o experiencia compartida. Parecía increíble que hubiéramos nacido y crecido en el mismo pueblo, ido a las mismas escuelas en el mismo curso escolar año tras año y aun así nunca hubiéramos tenido realmente una conversación. Max hubiera estado encantado de hablar con Marci –y de comérsela con los ojos–, pero yo estaba más molesto que otra cosa. Mi vida había estado bien sin todas esas personas en ella.

–¿Pueden oler otros colores? –preguntó Marci, cruzando los brazos en modo burlón, como si fuera un interrogatorio.

–No es el color –respondió Brooke–. Son los árboles. Verde es solo una buena palabra para describir cómo huelen los árboles cuando crecen.

–Es como el olor a primavera –continuó Rachel–, excepto que "primaveroso" suena tonto.

–Y "verde" suena completamente normal –dijo Marci.

–Ajá.

La brisa del lago era fresca y podía notar que Marci tenía la piel de gallina. Antes de poder evitarlo, posé mis ojos en las piernas de Brooke; ella también tenía la piel de gallina.

–¿Por qué no nos acercamos a la fogata? –pregunté. Brooke asintió, y Marci y Rachel nos siguieron entre la gente que estaba dispersa por ahí. La fogata podía verse entre los árboles que estaban más adelante: una parábola agreste de llama anaranjada, aunque todavía había mucha luz en el cielo como para que el fuego destacara. El bosque en esta parte era escaso e irregular, con más matorrales que árboles, y habían prendido el fuego en medio de un gran claro circular a tan solo un par de metros de la carretera. A medida que nos acercábamos pude ver que los organizadores de la fiesta, quienquiera que fuesen, no habían reparado en gastos para hacer la fogata: tenía grandes leños en el centro y varios troncos y leña partida esperando a un lado, apilados contra un árbol. En el fuego, la madera se agrietaba y se partía, la savia brotaba y burbujeaba al centro, y detrás de todo estaba el rugido sordo y estático del oxígeno succionado hacia el centro de las ávidas llamas. Me estaba hablando a mí.

—Hola —susurré como respuesta. Me acerqué un poco más, extendiendo las manos para sentir el calor. Estaba a la temperatura correcta en algunos puntos, pero demasiado frío en otros y demasiado caliente en la punta. La estructura de la base era más abierta de lo necesario; el fuego podría ser muy caliente y poderoso, pero se iba a apagar muy pronto. Leños como esos podían durar toda la noche si los acomodabas cuidadosamente con otras piezas de madera.

No parecía que hubiera alguien en particular a cargo del fuego. Había una rama de metro y medio con la punta ennegrecida a un lado, que asumí que había sido usada para mover los troncos de madera, así que la tomé y ajusté la llama, tirando un tronco por aquí y levantando otro por allá. El fuego podía decirte lo que necesitaba, si sabías escucharlo. Sentí el calor; escuché el rugido del aire; vi las líneas del calor blanco brillante en la superficie de la madera, brillando como si algo radiante y perfecto se estuviera expandiendo desde dentro, listo para nacer en un mundo opaco y sin vida. Otro pequeño ajuste, otro empujón.

Perfecto.

Un leño salió disparado en arco, estrellándose contra el fuego y haciendo que este se reavivara con un rugido.

—¡Bien! —alguien gritó a mi lado, un tipo ancho de los de último año con el pelo muy corto y la cara roja y carnosa—. ¡Prendamos este fuego!

—Pero prende mejor si...

Traté de hablar con él, pero se volteó y le gritó a alguien.

—¡Los Cruzados de Clayton!

Varias voces le hicieron coro y él agitó los puños triunfante en el aire antes de ir por más madera.

—Prende mejor si lo planeas —dije, casi para mí mismo. Regresé al fuego y lo volví a picar con una vara, intentando reparar algo del daño, cuando un segundo leño cayó en la mitad, y luego un tercero.

—¡Los Cruzados de Clayton!

—Sabes —dijo Marci, parada a mi lado—, hay cosas que simplemente no puedes planear —giré a mirarla rápidamente, sorprendido, y ella sonrió—, ¿sabes?

¿De dónde había salido? Había estado tan abstraído con el fuego que les había perdido la pista a las chicas por completo.

—Todavía no hay hot dogs —anunció Brooke, volviendo de algún lugar—. No van a dar comida hasta las 6:30. ¿Quieren ir al lago?

—Bueno, yo definitivamente no me voy a meter —respondió Marci—, pero no me molestaría echar un vistazo.

Las tres chicas se empezaron a alejar, luego se detuvieron y voltearon a mirarme.

—¿No vienes? —preguntó Brooke.

Pero... aquí hay fuego.

Miré la fogata, todavía fuerte y poderosa pese al caos de los nuevos troncos. No necesitaba el fuego: estaba allí por Brooke.

—Claro —contesté—. Estaremos de vuelta aquí a las 6:30 de todos modos, ¿no?

Dejé la rama en el suelo y caminé hacia ellas.

–Gracias –respondió Rachel–. Necesitamos a nuestro valiente protector.

–Ni lo digas –agregó Marci–. Con todas esas mujeres muertas que han encontrado, incluso un gran grupo como este me da escalofríos.

Ahí estaba otra vez: John el valiente. ¿Cuántas personas me veían como una especie de héroe? ¿Y cómo pude haber pasado tanto tiempo sin notarlo?

–Solíamos venir aquí a pescar –dijo Brooke, mirando la línea de agua emerger conforme los árboles se hacían más estrechos. El cielo todavía estaba luminoso, pero en silencio, y el lago reflejaba el azul claro del cielo como la mitad inferior de una concha de caracol gigante y esmaltada. Nos detuvimos en una cresta montañosa de baja altura, donde los árboles se separaban y el suelo descendía hacia el lago cristalino que había delante. Brooke se subió a una roca filosa para tener una mejor vista, se tambaleó por un momento y puso su mano en mi hombro para conseguir estabilidad. Su tacto se sentía eléctrico, como si una explosión repentina de energía estuviera fluyendo hacia el punto de contacto. Fingí estar mirando el agua, pero todo mi ser estaba concentrado en la mano de Brooke.

–Es hermoso –dijo Rachel.

Un par de tipos chapoteaban en shorts mojados y camisetas, sumergidos de la cintura para abajo en el agua.

–¡Métanse! –nos gritaron, aunque tenía la sensación de que estaban pensando más en las chicas que en mí. Las chicas los ignoraron, así que yo hice lo mismo. Los tipos vieron otro grupo en la orilla y se desplazaron dificultosamente entre el junco hasta llegar a ellas, dejándonos en paz. Brooke suspiró.

–¿Y qué van a hacer ustedes?

–Solo quedarnos aquí, supongo –dijo Marci–. Y ver quién aparece y quién viene con quién.

–¿Viste a Jessie Beesley? –preguntó Rachel–. Me pregunto qué pasaría con Mark.

–No me refiero a eso –respondió Brooke–. Quiero decir, ¿qué van a hacer con sus vidas en el futuro?

–Eres muy tierna cuando te pones profunda, Brooke –contestó Marci riéndose.

–¿Qué, tú no tienes sueños? –preguntó Brooke.

–Claro que los tengo –dijo Marci–. Créeme. Y no tienen nada que ver con el condado de Clayton.

–Me voy a largar de aquí en la primera oportunidad que tenga –dijo Rachel–. Un pueblo con un solo cine apenas cuenta como civilización.

Me quedé mirando el lago, recordando el cadáver que el demonio había echado al agua bajo el hielo de noviembre.

–¿Tú vas a ir a algún lugar en específico? –pregunté–. ¿O solo huirás de aquí?

–A la universidad –respondió Brooke–. A viajar. Al mundo.

–Nadie quiere quedarse aquí –contestó Rachel.

–No me molestan los veranos –dijo Marci–. Pero a veces me pregunto cómo llegamos aquí en primer lugar.

–La industria maderera –respondí.

–Sí, pero ¿por qué nosotros? –preguntó Marci–. ¿Por qué estamos aquí y no en ninguna otra parte?

–No es tan malo –dijo Brooke.

—Es peor —dijo Rachel.

—¿Quiénes fueron los primeros? —preguntó Marci, mirando al lago—. ¿Somos solo los hijos de los hijos de los trabajadores de la fábrica que crecieron y perdieron sus sueños y se quedaron atrapados aquí para siempre? Alguien vino aquí *primero*, cuando no había nada más, y construyeron un pueblo en la mitad de la nada e hicieron dinero de la nada y *triunfaron* —levantó la vista al cielo—. Supongo que es solo que no entiendo, si ese es el tipo de personas de la que venimos, ¿por qué nosotros solo nos sentamos aquí a ver pasar el tiempo?

Rachel abrió la boca para responder, pero un grito fuerte y penetrante proveniente de la orilla la interrumpió. Nos giramos para ver qué pasaba, Brooke tomada con fuerza a mi hombro, y vimos a los dos tipos de antes saliendo frenéticamente fuera del agua. El grupo de chicas con las que habían estado coqueteando retrocedían con terror y ahora todos estaban gritando. Brooke saltó y corrió hasta ellos, y yo la seguí de cerca.

—¡Está muerta! ¡Está muerta!

La gente empezó a salir de entre los árboles para ver qué sucedía. Se veía como si el grupo de la orilla estuviera huyendo de un animal salvaje, como si tuvieran miedo de que los mordiera, pero mientras nos acercábamos pude ver qué los había hecho gritar: había un tronco podrido mitad dentro y mitad fuera del agua, rodeado de junco y debajo de él se asomaba un brazo humano y una mano.

—¡Llamen a la policía!

—¡Está muerta!

—¡Voy a vomitar!

En cuanto vimos la mano, Brooke se detuvo y no quiso seguir, pero yo me acerqué más. Cuando llegué al círculo de estudiantes que rodeaban el brazo me detuve un momento, cauteloso, pero luego me decidí y di un paso al frente, rompiendo el círculo. Éramos solo yo y la mano.

Era una mano de mujer, su cuerpo estaba flotando apenas por debajo de la superficie, escondida entre los juncos. De alguna forma habían movido el tronco y el cuerpo se había desatascado, haciendo que el brazo saliera a la superficie. Su mano se asomaba, torcida como una garra, con las uñas rotas pintadas de rojo.

Es el nuevo asesino, pensé.

Escuché una voz detrás de mí, una voz profunda, de hombre, que hacía eco como si estuviéramos en un amplio cuarto vacío.

–¿Qué hacemos?

Tenía que verla; tenía que saber si estaba cubierta de las mismas pequeñas heridas que las otras.

–Podría seguir viva –dije, metiéndome al lago–. Tenemos que revisar.

La mano expuesta estaba empapada y cubierta con manchas de lodo y madera podrida; no había manera de que siguiera viva.

–Tenemos que sacarla.

Escuché que alguien más se metió al agua detrás de mí, un sonido de salpicadura vago y distante. Era difícil escuchar con mi propio latido del corazón rugiendo en mis oídos.

Tomé el brazo y lo jalé; se movió, pero era más pesado de lo que esperaba. Otro par de manos, ásperas y viejas, tomaron el brazo conmigo y lo jalamos otra vez. El cuerpo se movió y el brazo salió del agua un poco más, rígido y pálido.

–Está atada a algo en el fondo –dije.

–Está atrapada bajo el árbol.

–No –respondí–. El cuerpo se desliza con mucha facilidad para estar atrapado. No intentes levantarlo, solo arrástralo hacia los lados para llevarlo a la orilla.

Tiramos juntos hacia donde el agua era menos profunda y el cuerpo podía flotar cerca de la superficie. En efecto era el cuerpo de una mujer, muy blanco y desnudo excepto por algunas cuerdas de nylon brillante. La desnudez no me molestó; los cadáveres nunca me molestaban. Jalé una de las cuerdas, primero ligeramente, luego con mayor fuerza mientras probaba su resistencia. El objeto al que estaba atada era muy pesado. Jalé la cuerda con dos manos y vi que del otro lado había un bloque de cemento.

Miré a la persona que me estaba ayudando. Era el profesor Verner, de Estudios Sociales.

–Alguien la ató para que se hundiera –anuncié. En la orilla detrás de él había varios estudiantes y otros profesores, muchos de ellos se habían apartado al ver a la mujer muerta flotando en el agua. Detrás de ellos se podía ver la fogata rabiosa, distante y brillante.

–¿Qué hacemos? –preguntó el profesor Verner otra vez. Evidentemente me estaba preguntando a mí; yo sabía más de esta situación que cualquiera de aquí. ¿Ellos lo sabían? ¿Estaba revelando algo secreto?

–Llamen al a policía –dije–. Llamen al agente Forman del FBI; él tiene una oficina en el departamento de policía.

Volví a mirar el cadáver, curvado como una escultura. Sus miembros estaban rígidos y torcidos.

—Esto es rigor mortis —dije—. Significa que solo lleva muerta unas pocas horas, un par de días como máximo.

Tenía marcas rojas en las muñecas, cortadas y ampollas en el pecho y en la espalda, igual que lo que habíamos escuchado sobre los otros cadáveres.

—¿Llamaron al agente Forman? —gritó el profesor Verner hacia la orilla.

—¿Quién tiene un teléfono?

Rachel agitó la mano y señaló a Marci, que estaba junto a ella con su celular en el oído.

—Está hablando con su papá —avisó Rachel. El papá de Marci era policía. Giré a mirarlas, más directamente ahora de lo que lo había hecho en toda la noche, luego giré a mirar el cadáver, flotando obscenamente en las ondas del lago. No debería ser más fácil ver el cuerpo que mirarlas a ellas, pero así era.

Con mi visión periférica noté que los profesores estaban arreando a los estudiantes para que se alejaran, y alguien estaba trayendo una manta. El profesor Verner fue por ella a la orilla, luego la trajo y envolvió al cuerpo.

—Ven a la orilla —dijo, poniendo una mano en mi brazo. Me tropecé, dejando el cuerpo en el agua. La fiesta se había vuelto una red suelta de caos, con algunos estudiantes yéndose, otros estupefactos e inmóviles, y otros acercándose en grupo para ver mejor. Los profesores estaban tratando de arrearlos sin saber muy bien a dónde.

Brooke me recibió en la parte superior de la pequeña montaña, pálida como un cadáver.

–¿Quién es? –preguntó.

–¿Tienes tu teléfono?

Asintió en silencio y lo extrajo de su bolsillo. Marqué el número del agente Forman y me senté con rigidez en el suelo, respirando lentamente.

–Habla Forman –dijo la voz del teléfono, tajante y directa. Había sirenas en el fondo.

–Ya están en camino –anuncié.

–Maldita sea, John, ¿estás metido en esto?

–Rigor mortis –le dije–. Completamente rígida. Eso significa que lleva muerta al menos 12 horas, quizá más. El lago está bastante frío y eso pudo haber retrasado su descomposición.

–¿Qué estás haciendo, John? –preguntó Forman–. No eres policía ni investigador –hizo una pausa–. Y sin embargo siempre eres el que encuentra primero los cuerpos.

–Alguien más lo encontró –respondí, cerrando los ojos. Podía ver el cadáver contorneado en mi cabeza, punteado con terribles ampollas rojas. ¿Había sido quemada?–. Estoy aquí por pura coincidencia, Forman. La escuela entera está aquí, y todos en el pueblo saben desde hace semanas que íbamos a estar aquí. Si él dejó el cuerpo aquí recientemente, justo aquí en la Fogata, es porque sabía que lo encontraríamos. Creo que quería que lo encontráramos.

–¿Quién es "él"? –preguntó Forman.

–El tipo que la mató –respondí. *¿Era un hombre o un demonio?*–. No faltan partes del cuerpo –dije, tambaleándome– y no vi que tuviera grandes laceraciones. Voy a fijarme otra vez.

–No, John, déjalo…

Antes de que pudiera terminar, algo me pegó por detrás, golpeándome entre los hombros. Rodé sobre mi espalda y miré hacia arriba: era Rob Anders.

—¿Qué te pasa? —solté.

—Te metiste al agua como si fuera la mañana de Navidad, la lanzaste hacia donde yo pudiera verla, conoces el teléfono del maldito agente del FBI de memoria...

—¿Qué? —pregunté, sacudiendo la cabeza.

—Nadie inocente actúa de esa forma —siguió—. Nadie normal sabe estas cosas. ¿Qué mierda es rigor mortis?

Estaba gritando, con la cara roja, agitando los brazos. Estaba mucho más enojado de lo que hubiera esperado. *¿Por qué estaba tan alterado? Piensa, John, piensa como una persona con empatía. Tal vez él tiene una conexión con la víctima.*

—¿La conoces? —pregunté.

—¿Qué clase de pregunta retorcida es esa, fenómeno?

—Déjalo en paz, Rob —dijo Brooke, acercándose a mí para ayudarme a levantarme. Rob la empujó, tirándola al suelo... y yo perdí el control.

Salté hacia Rob. Lo tomé por sorpresa y lo derribé, sometiéndolo. Nunca había estado en una pelea (no con alguien que pudiera defenderse, al menos), pero lo dejé sin aliento, lo que me dio un momento para levantar mi puño y pegarle torpemente en la parte superior de la cabeza. Él me devolvió el golpe justo en el ojo, tirándome. Me paré tambaleante, listo para otro golpe, pero el profesor Verner y otro profesor ya estaban allí y nos separaron.

—Está bien —dijo Brooke, jalándome hacia atrás—, solo es un imbécil, ignóralo.

Giré para mirarla de frente y me di cuenta de lo que había hecho: la habían amenazado y en vez de tratar de ayudarla había atacado al agresor. Justo como con el demonio. Ni siquiera la había ayudado a levantarse.

¿Cuál es la respuesta correcta?, pensé. *¿Cuándo ayudas a los buenos y cuándo detienes a los malos? No sé qué hacer.*

No sé cuál de los dos soy.

Me sentí mareado, me senté y vi que el celular de Brooke estaba en el suelo: se había caído cuando me golpeó Rob.

—Él es parte de esto —gritó Rob mientras discutía con el profesor Verner, que trataba de alejarlo—. Es un maldito enfermo. ¡Incluso podría ser el asesino!

Recogí el teléfono y lo puse en mi oído: Forman ya había colgado.

—Llama a tu papá —le dije a Brooke, pasándole el teléfono—. Dile que llegarás tarde. Esto va a tomar tiempo.

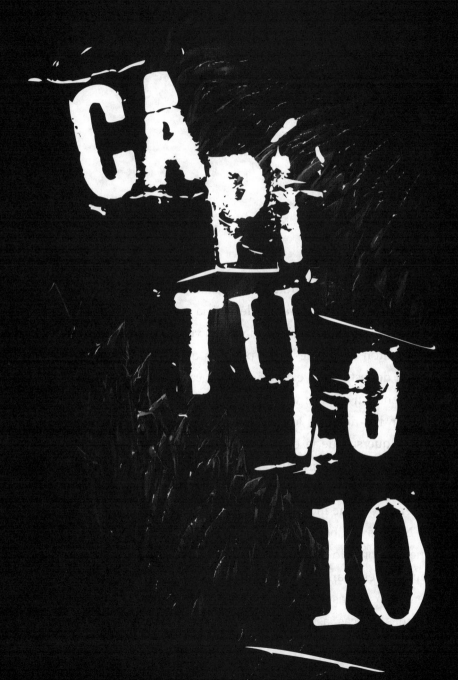

CAPÍTULO 10

Pasé toda la noche tratando de hablar con Forman, pero en vez de eso nos llevaban de policía en policía, haciéndonos dar nuestro testimonio una y otra vez. Al final, me dieron un montón de papeles y me pidieron que llenara un reporte oficial de testigo. Lo extendí sobre la cajuela de una patrulla y lo llené tan exhaustivamente como pude, asegurándome de incluir las horas y los lugares de mis propias acciones desde que salí de la escuela. Algo más y hubiera parecido que me estaba esforzando demasiado por parecer inocente. Cuando acabé la entregué y me senté en la fogata moribunda, esperando a que me dejaran ir. Eran las 11:30 de la noche.

No nos dejaban acercarnos al cadáver, así que me dediqué a recordarlo con tanto detalle como me fue posible. Las muñecas estaban arañadas y rojas, ¿por más cuerdas, tal vez? Pero las cuerdas alrededor del cuerpo no habían dejado las mismas marcas, así que las cuerdas en las muñecas habían estado ahí más tiempo, probablemente desde antes de que muriera. Alguien —al asesino, asumí— la había mantenido atada. ¿Por cuánto tiempo?

Y el resto de las marcas: ronchas rojas y ampollas en la piel pálida. Quizá también tenía cortes más profundos, heridas de cuchillo, aunque el agua ya le había limpiado toda la sangre. No había ninguna de las heridas enormes y salvajes que distinguía a las víctimas del Asesino de Clayton. ¿Podía ser un nuevo demonio? ¿Uno cuyos dedos se convertían en llamas en vez de garras, que había dejado a las víctimas con cicatrices y mutilaciones pero de una sola pieza? ¿Los demonios funcionaban así? ¿Seguían algún tipo de reglas?

Había visto un demonio, o lo que sea que fuera, pero eso no significaba que todo estuviera conectado con ellos. Los humanos eran más que capaces de cometer asesinatos por su cuenta. Era estúpido asumir que se trataba de un demonio cuando sabía tan poco de él. Necesitaba ser paciente, necesitaba llevarla a la funeraria, donde podría examinar las heridas a detalle y leer todo lo que sabían sobre ella en el archivo del forense. Si solo pudiera hablar con Forman, averiguar lo que sabía…

—Yo ya estoy lista —anunció Brooke—. Dijeron que ya podíamos irnos.

Levanté la vista y la vi de pie frente a mí, con los brazos cruzados fuertemente, envolviéndose a sí misma en su delgada chaqueta. Sus piernas largas estaban punteadas por la piel de gallina y estaba temblando.

—¿Eso es todo? —pregunté—. ¿No quieren seguir hablando con nosotros?

—Es casi medianoche —respondió Brooke—. Hemos estado hablando con ellos por horas.

–Pero todavía no nos dicen nada.

–No creo que lo vayan a hacer –dijo Brooke. Recogió la rama con la que movíamos el fuego y picó las cenizas, haciendo que salieran chispas y dejando al descubierto el calor rojo brillante que había debajo.

–No la apagues –dije, deteniéndola. Era algo que me había explicado el señor Crowley alguna vez: "Nunca mates un fuego, deja que se extinga solo". Él había matado a diez personas y tal vez a una infinidad más en su vida, pero no estaba dispuesto a matar un fuego. ¿Qué era, realmente?

–¿Listo para irnos? –preguntó Brooke.

Me quedé mirando el área ennegrecida de la fogata, un banco de cenizas a medio morir en un círculo de dos metros de restos quemados. Había sido enorme en algún momento; masivo, caliente y glorioso, pero se había consumido demasiado pronto, y ahora se resistiría por horas a morir; la mayoría de la vida del fuego, tal vez el 80%, era solo eso: una lenta y larga muerte.

–¿Podemos verla un poco más? –pregunté.

Se puso de pie, en silencio, alumbrada por una ligera luz naranja. Después de un momento dejó la rama y se sentó a mi lado, con las piernas cruzadas en el suelo. Lo vimos durante una hora más, hasta que los policías limpiaron la escena, apagaron el fuego y nos mandaron a casa.

A la mañana siguiente anunciaron en la televisión el nombre de la mujer muerta: Janella Willis. Había desaparecido hacía ocho meses, en algún lugar de la costa del este, pero nadie tenía ninguna teoría sobre cómo había acabado muerta en el Lago Freak. Mi conjetura sobre el tiempo que llevaba muerta resultó ser bastante precisa: murió casi 24 horas antes de que fuera encontrada y pasó la mayor parte de ese tiempo en el lago, bajo el tronco. La policía y los reporteros llegaron a las mismas conclusiones que yo (que el cadáver había sido dejado ahí específicamente para que nosotros lo encontráramos), pero empecé a sospechar algo más. Parecía altamente probable que hubieran dejado el cuerpo allí específicamente para mí.

Los dos primeros cadáveres habían sido dejados en puntos que eran fáciles de encontrar; el segundo incluso había sido en un punto directamente vinculado con los asesinatos anteriores. Así que sabíamos que el asesino quería ser encontrado, y sabíamos que estaba intentando decir algo. Ahora habíamos encontrado un tercer cuerpo, cuidadosamente colocado en la locación que, esa noche en específico, tendría una mayor concentración de personas que en cualquier otro lugar del pueblo. Era obvio que quería que lo encontráramos. Pero más que eso, era un lugar lleno de adolescentes, un lugar y a una hora en la que era un hecho que yo iba a estar. Si los cadáveres eran mensajes de un asesino a otro, este último había sido prácticamente entregado en mi puerta.

Mensajes en la puerta... Apenas lo pensé, sentí cómo se me helaba la piel. Le había dejado al señor Crowley una larga serie de mensajes, tratando de asustarlo y hacer que bajara la guardia. Quería provocarlo y hacerle saber que estaba siendo perseguido. Estos cuerpos eran exactamente lo mismo:

el primer cuerpo decía "Aquí estoy", el segundo cuerpo, encontrado en la escena de un previo asesinato, decía "Soy parte de lo que pasó aquí". El tercero, dejado donde era seguro que yo lo encontraría, decía claramente "Sé quién eres".

Me estaba cazando.

Ya había terminado la escuela, así que no tenía a dónde ir, y pasé el día entero en mi habitación estudiando detenidamente la poca evidencia que tenía. Si me estaba cazando, necesitaba saber quién era y qué quería. No tenía demasiados elementos para especular, pero se podía aprender mucho incluso de un solo cadáver... si sabías qué buscar. La pregunta central para hacer un perfil criminal es: ¿qué hizo el asesino que no tenía que hacer? Este asesino había atado a una víctima, antes de matarla y después de matarla. ¿Se relacionaban los dos hechos y era una especie de necesidad psicológica de amarrar? Eso querría decir que es un asunto de control, lo que apuntaría, al menos de forma simplista, a un asesino serial. ¿O las dos ataduras eran simplemente un asunto práctico, una forma de mantenerla aprisionada antes de su muerte, y hundida después de ella? Había estado desaparecida durante ocho meses antes de su muerte, así que la teoría del aprisionamiento tenía sentido. Así que, ¿por qué ponerle peso para hundirla cuando hubiera sido mucho más sencillo dejar el cadáver en el lodo en la orilla? Si quieres que una víctima sea encontrada, ¿por qué pretender esconderla en primer lugar?

No te limites a preguntar, pensé, *busca una respuesta*. ¿Qué hubiera sucedido si la hubiera dejado afuera, simplemente tendida ahí? Los estudiantes organizadores la habrían encontrado cuando llegaran para preparar la Fogata, habrían llamado a la policía y la Fogata habría sido cancelada o movida a la cancha de fútbol o algo así. En cambio, al esconderla pobremente se aseguraba de que la encontráramos de todas formas pero más tarde, cuando hubiera muchos testigos.

¿Qué más? ¿Qué le hizo al cuerpo que no tenía que hacerle? Lo quemó. Lo cortó. ¿Había hecho algo más? El cadáver podía tener huesos rotos, magullones y quién sabe cuánto daño interno que no podía verse sin una examinación detallada. La especulación no me ayudaría, necesitaba detalles reales. ¿Qué se me estaba olvidando?

¡Las uñas! Sus uñas estaba rotas: ¿lo había hecho él o se las había gastado ella defendiéndose? ¿Estaba tratando de cavar para escaparse o algo así? Todavía tenían esmalte para uñas, después de ocho meses de prisión. ¿Había durado el esmalte tanto tiempo? Si es así, eso no significaría nada, pero si no, significaría que llevaba poco tiempo en cautiverio, o que el asesino le había dado artículos de lujo, como esmalte para uñas, mientras estaba encerrada. ¿Por qué? Eso podría decir algo muy importante de la mentalidad del asesino y de su actitud hacia sus víctimas. Tenía que averiguarlo.

Nadie había mencionado el esmalte para uñas gastado en las noticias, así que mamá no sabía nada al respecto y podía preguntarle sin levantar sospechas... Bueno, no el tipo de sospecha de un cadáver, pero seguramente tendría muchas preguntas extrañas sobre por qué su hijo estaba repentinamente interesando en esmaltes para uñas. Iba a ser mejor averiguarlo de otra forma, como buscándolo en línea.

Abrí la puerta de mi habitación y escuché que estaba prendida la tele, lo que significaba que la computadora estaría libre. Me escabullí a la habitación de mamá para usarla pero ella estaba allí, con una carpeta abierta en el escritorio, trabajando. Levantó la vista cuando entré.

—Hola John, ¿necesitas algo?

—Quería usar la computadora —respondí—. Creí que estabas viendo la televisión.

—Esa es Margaret —dijo—. Yo solo estoy pagando las facturas, ya casi voy a acabar.

—Está bien —me dirigí hacia la sala, donde Margaret estaba mirando un programa de viajes.

—Hola, John —saludó, orillándose en el sillón para hacerme espacio. Me senté y me quedé mirando la televisión.

—Hola.

—Escuché que tuviste una gran noche hace unos días.

—Sí, supongo.

—Eso es increíble —comentó—. Requiere mucho valor, pero apuesto a que te alegras de haberlo hecho.

Giré para mirarla.

—Solo lo miré, ni siquiera fui yo quien lo sacó del agua.

—No estoy hablando del cadáver —aclaró—, estoy hablando de tu cita. Finalmente invitaste a Brooke a salir.

La cita. Había estado tan emocionado antes, y ahora parecía que había pasado hacía una eternidad. El cadáver me parecía mucho más importante ahora. Mucho más grande.

—Qué mal que se interrumpió —dijo—. ¿Volverás a invitarla?

—Supongo. No he pensado mucho al respecto.

—¿Y en qué has estado pensando? —Margaret me miró un momento, luego negó con la cabeza—. No sé qué clase de adolescente dejaría que un cadáver lo distrajera de una chica como Brooke. ¿No hemos tenido ya suficiente muerte para rato?

–¿Necesitamos hablar de esto? –pregunté. Lo que menos quería era otro sermón.

–Tienes dieciséis años –continuó–. Deberías estar pensando en mujeres vivas, no en las que están muertas.

Vaya forma rápida de darle un vuelco a la conversación.

–¿Por qué tú nunca te casaste? –pregunté.

–Guau –exclamó sorprendida–. ¿Eso de dónde vino?

–Estás hablando sobre cómo debería tener citas –dije–, pero tú estás soltera y feliz. ¿No puedo estarlo yo también?

Ella levantó la ceja.

–Eres un pequeño desgraciado, ¿lo sabías?

–Tú empezaste.

Margaret suspiró, miró el techo y luego volvió su vista hacia mí.

–¿Y qué pasa si no te gusta mi respuesta?

–Ajá. Eso significa que fue mi papá –dije asintiendo con la cabeza.

Margaret sonrió sombríamente.

–Eres demasiado astuto para un chico de tu edad. Sí, era tu papá. De lo que probablemente no te hayas dado cuenta es que yo solía estar enamorada de él.

–Estás bromeando.

–¿Por qué lo haría? Era guapo, educado y él, tu mamá y yo éramos los únicos embalsamadores del pueblo. Creo que ambas nos enamoramos de él el día que apareció.

Margaret miraba por la ventana mientras hablaba, y me pregunté qué es lo que estaba mirando en su cabeza.

–Tu padre podía encantar hasta a las serpientes –continuó–. Nuestro negocio estaba teniendo dificultades hasta que él llegó aquí, probablemente porque nadie tomaba en serio a un par de embalsamadoras gemelas de 22 años. Ni siquiera yo nos tomaría en serio, viéndolo en retrospectiva. Estuvimos de interinas con Jack Knutsen, y cuando Knut falleció nos hicimos cargo del negocio, pero recién cuando tu padre llegó las cosas realmente mejoraron.

–¿Cómo podía ser que la única funeraria en el pueblo no tuviera actividad? –pregunté–. O la gente se moría o no; si lo hacían, tenían que venir a ustedes.

–El embalsamamiento no es un requisito –explicó Margaret–, e incluso hoy solo hacemos alrededor de la mitad de los funerales, el resto se hace en iglesias locales. No, necesitábamos a tu padre porque él convenció al condado de Clayton de que nos necesitaban. Así que él nos salvó, primero que nada, pero era más que eso. Él era… excitante. Era encantador. Era demasiado bueno para creerlo: un hombre tan maravilloso había caído directo en nuestro regazo, y el día en el que me di cuenta que él amaba a tu mamá en vez de a mí me pude haber muerto. Y lo hubiera hecho, gustosamente, si él me hubiera visto de la forma en la que la veía a ella.

Su mente ya estaba en otra parte… Podía ver la forma en la que sus ojos se concentraban intensamente en algo invisible y perdido. Cuando su mirada regresó a mí, sonrió débilmente. Fue casi como ver su conciencia regresar a su cuerpo como un fantasma.

–Claro –siguió– no tardé mucho en darme cuenta de que había esquivado la bala. La hermana que se quedó rezagada se convirtió rápidamente en el pilar de apoyo de la hermana que pensó que había obtenido lo que quería. Eso fue lo único bueno que surgió de eso, supongo... Si tu papá hubiera sido tan buena persona como habíamos pensado que era, probablemente yo habría estallado y nunca habría perdonado a Abril por robármelo.

Me miró un momento, dándole vueltas a algo, y luego negó con la cabeza.

—No debería hablar mal de tu padre en frente de ti —dijo.

—¿Qué? —pregunté—. ¿Crees que yo no me di cuenta de lo imbécil que era?

—Sé que lo hiciste —suspiró—. Solo me habría gustado que las cosas hubieran sido distintas.

—¿Así que me estás diciendo que salga con Brooke porque tú crees en la ensoñación del amor juvenil, o porque quieres vivir indirectamente a través de las relaciones de los demás?

Margaret arqueó las cejas, luego se rio.

—Es por esto que vuelves loca a tu mamá —dijo—. ¿Cómo puede vivir con alguien que merece una bofetada y un abrazo al mismo tiempo?

—Soy un ser único y especial —dije.

—La computadora está libre —anunció mamá, entrando a la habitación—. ¿De qué estaban hablando?

—De nada —respondió Margaret, regresando a mirar la televisión. Yo me excusé y fui a la otra habitación.

No encontré nada en específico, pero aprendí lo suficiente como para saber que una aplicación de esmalte no tenía forma de durar ocho meses. Asumiendo que el asesino había secuestrado a Janella Willis desde su desaparición y la había atado de muñecas y tobillos, debía haber un motivo por el cual pintarle las uñas. ¿Qué estaba pasando por la cabeza de este tipo?

Necesitaba ver ese cadáver. Limpié el historial de Internet y me encerré en mi habitación, mirando la pared y estudiando una vez más mis recuerdos del cuerpo. Un asesino estaba cazándome, mandándome señales, ¿pero qué quería? Si sabía quién era yo, ¿por qué no venía simplemente por mí? Tal vez no sabía en realidad quién era y esta era solo la forma de probarme para ver cómo reaccionaba, para sacarme de mí. Tal vez estaba esperando una respuesta.

John nunca respondería, pero el Señor Monstruo sí, y es a él a quien este asesino estaba buscando realmente. El Señor Monstruo era quien había matado al demonio, y el que soñaba todas las noches con nuevas víctimas. Era él quien deseaba enviar un mensaje de respuesta al nuevo asesino, aunque hasta el momento había sido capaz de detenerlo.

Cuando el nuevo asesino finalmente decidiera buscarme, ¿a quién se encontraría? ¿A mí o al Señor Monstruo?

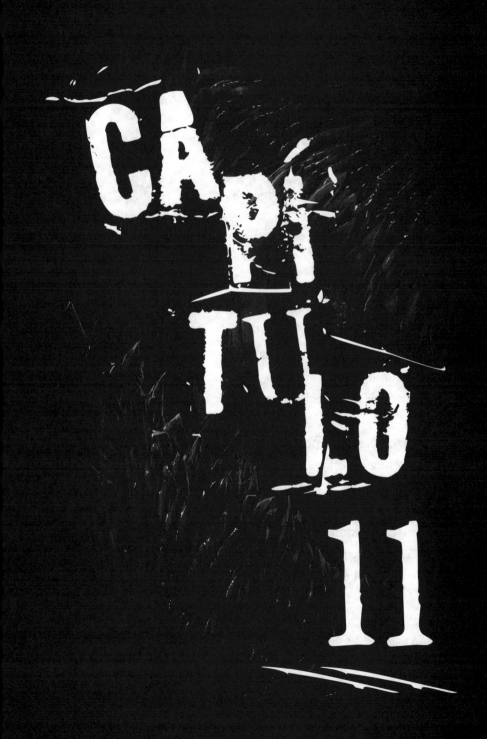

Estaba en un calabozo, clavando a alguien a una tabla gruesa de madera, cuando sonó el teléfono. Abrí mis ojos, me incorporé en mi habitación y escuché los pasos de mamá mientras caminaba hasta su celular. Eran las 5 de la mañana. Había estado dormido por casi dos horas.

–¿Hola? –atendió. Su voz era apagada, pero solo había una razón plausible por la que podía sonar el teléfono a esta hora. El forense estaba trayendo el cadáver, y necesitaban que trabajáramos en él inmediatamente. Probablemente iban a regresárselo a la familia esta tarde. Me levanté de la cama y me puse una camiseta.

–Adiós –escuché el chasquido suave cuando mamá cerró su celular, y el crujido del suelo cuando empezó a moverse. Pasos tenues me dijeron que estaba caminando hacia el pasillo, y un momento después abrió mi puerta.

–Despierta, John, el... Oh, ¿alguna vez duermes?

–¿Ese era Ron? –pregunté, poniéndome los calcetines.

—Sí, están trayendo el… ¿Cómo sabes eso?

—Soy un genio –respondí–. Probablemente debas llamar a Margaret si tienen tanta prisa.

Se quedó observándome un momento, luego abrió su celular.

—Come algo –dijo, regresando a su habitación–. Y deja de saberlo todo.

Al cabo de media hora Ron apareció en la camioneta del forense, junto con un par de policías. Yo me quedé arriba, observando a través de la ventana, mientras mamá los recibía en la puerta trasera y entraban el cadáver.

Margaret llegó cuando la camioneta se estaba yendo, y todos nos reunimos abajo y nos pusimos nuestras máscaras quirúrgicas y los delantales. Mamá estaba hojeando los papeles.

—No se reporta que le falte ninguna parte –dijo. Habíamos aprendido a revisar eso antes de empezar, después de una mala experiencia el otoño pasado.

»Le hicieron una autopsia completa, pusieron los órganos en bolsas y la volvieron a coser –dejó los papeles en la mesa–. Odio estos.

—Pido el embalsamamiento de cavidades –dijo Margaret, abriendo la puerta. El embalsamamiento de cavidades era el momento en que usábamos el trocar para succionar toda la porquería que había en los órganos y reemplazarla con líquido para embalsamar. En un caso de autopsia como este, en el que habían removido los órganos, ella podía hacer eso de un lado de la sala mientras mamá y yo hacíamos el embalsamamiento arterial en el resto del cuerpo. El problema era que hacer un embalsamamiento arterial de un cadáver sin órganos era como tratar de llevar agua en un colador: había demasiados hoyos y el fluido se filtraba por todos lados. Teníamos que embalsamarlo en al menos cuatro secciones, quizá más.

Colocamos el cuerpo en la mesa metálica, que todavía estaba en la bolsa para cadáveres. Me lavé las manos rápidamente y me puse guantes desechables, luego abrí la bolsa. El forense había envuelto el cadáver en toallas por pudor, y de paso para absorber la sangre que pudiera gotear en el camino, pero no quedaba ya mucha a estas alturas. El cuerpo estaba blanco y vacío, como una muñeca.

–Sostén la cabeza –dijo mamá, poniendo una mano debajo de la parte baja de la espalda de la mujer y otra debajo de sus piernas. Le sostuve la cabeza y los hombros, y a la cuenta de tres levantamos el cadáver mientras Margaret jalaba la bolsa debajo del cuerpo. La pusimos de nuevo en la mesa y mamá empezó a quitar las toallas.

–Cierra los ojos –me pidió, y así lo hice, esperando pacientemente mientras ella guardaba las toallas en una bolsa de riesgo biológico y cubría el cuerpo con nuevas toallas en el pecho y en la ingle. Mantuve mis ojos cerrados hasta que dijo "Listo".

El pecho estaba cortado con una incisión en forma de Y: dos cortes desde los hombros al esternón y un gran corte del esternón a la ingle. Habían vuelto a coser la mitad de arriba, pero la de abajo seguía suelta y por allí se asomaba una bolsa naranja brillante. Margaret abrió cuidadosamente el abdomen, extrajo la pesada bolsa y la depositó en el carrito de metal para llevársela a la mesita lateral junto al trocar. Mamá me entregó un trapo tibio y una botella de spray, y nos pusimos a limpiar el exterior del cadáver.

Embalsamar usualmente me relajaba, pero esta vez los pequeños detalles seguían saliendo y arruinándome la calma. Primero fueron sus muñecas, que ya no estaban rojas, pues quedaba muy poca sangre en el tejido, pero estaban obviamente desgastadas y lastimadas. Habían estado atadas por mucho tiempo, y muy apretadas; había secciones en las que faltaba piel y se veía el músculo expuesto. Me imaginé al cuerpo vivo: a esa mujer respirando, luchando desesperadamente por escapar de sus ataduras. Se retorcía y se volteaba, combatiendo contra el dolor mientras las cuerdas se clavaban en su piel y la arrancaban. No podía escapar.

Pensé en el lago, tranquilo y desolado, y alejé los pensamientos del forcejeo. *Yo solo estoy limpiando, nada más y nada menos. Solo hay que ponerle más spray en esta parte y restregar gentilmente. Todo está en calma. Todo está bien.*

La piel era suave en su mayoría, pero marcada aquí y allá con cortes, costras y ampollas. Ahora que habían limpiado el cuerpo, eran mucho más evidentes las marcas que había visto en el lago; parecían motear el cuerpo como espeluznantes puntitos de confeti, esparcidos aleatoriamente. ¿Qué pudo haber hecho algo así? Las ampollas eran evidentemente por quemaduras, cicatrices siniestras donde la piel había burbujeado y se había hinchado como una salchicha en una parrilla. Toqué una suavemente, sintiendo las irregularidades. El centro de la ampolla era duro, como un callo, o como si hubiera sido quemado por algo más caliente que el resto. Alguien le había puesto algo a esta persona para quemarla intencionalmente, una y otra vez en diferentes lugares.

Alguien la había torturado.

Las cortadas y los rasguños en el cadáver, que me habían parecido tan extraños antes, ahora tenían más sentido: no se había arañado a sí misma corriendo por un bosque o cayéndose en la maleza mientras escapaba, sino que había sido apuñalada y cortada deliberadamente numerosas veces. Por las costras que cubrían algunas de las heridas era obvio que esto había ocurrido por algún tiempo; miré más de cerca, en busca de cicatrices que hubieran sanado, y encontré algunas, delgadas y blancas, esparcidas por toda su piel. ¿Cómo alguien podía hacer laceraciones tan pequeñas? Una navaja de afeitar haría una cortada larga, a menos que fuera usada con mucho cuidado; estas, por otra parte, eran pequeñas, casi como pinchazos. Dejé el spray y examiné una de las heridas recientes con mayor detalle, estirándola con mis dedos. No era profunda. Miré otra, un pequeño hoyo en el músculo de su muslo y esta sí era profunda, larga y estrecha, como el hoyo de un clavo. Recordé mi sueño de esta mañana, escuchando a la chica gritar e imaginé qué hubiera usado yo para hacer esta clase de herida: un clavo aquí, un destornillador allá, un par de tijeras en alguna otra parte. Se veía caótico, pero también había un patrón en él; había una mente guiando el procedimiento, tratando con diferentes herramientas para ver qué hacía y qué reacción obtendría con cada una. ¿Un clavo en el muslo provocaría el mismo tipo de grito que un clavo en el hombro? ¿Un clavo en el abdomen? ¿Cuál le daría más miedo a la víctima cuando lo hicieras por segunda vez, una herida que perforara un músculo, un órgano o un hueso?

–¿John? –levanté la vista. Mamá me estaba mirando.

–¿Eh?

—¿Estás bien?

Era difícil leerla con la máscara, pero sus ojos eran oscuros y estrechos, y la piel alrededor de ellos estaba arrugada. Estaba preocupada.

—Estoy bien —respondí, tomando el spray y poniéndome otra vez a trabajar—. Solo estoy cansado.

—Te acabas de despertar.

—Sigo despertándome —dije—. Solo estoy aturdido, estoy bien.

—Bueno —respondió mamá, y regresó a trabajar en el cabello. Excepto que no estaba bien. Todo lo que vi y me imaginé haciendo, cada herida en el cuerpo que me vi infringiéndole. Esta no era una muerte serena de una mujer anciana que había fallecido mientras dormía; esta era una muerte brutal y violenta, una serie de torturas y humillaciones en las que había sido deshumanizada. Esto no tranquilizaba al Señor Monstruo, lo excitaba. Era un tiburón que olía la sangre en el agua. Era un tigre que olía carne fresca. Era un asesino que sentía que había una víctima; no este cadáver, sino la persona que lo había atacado.

Yo era el asesino de los asesinos, y uno nuevo en el pueblo significaba que era tiempo de matar otra vez.

Apoyé el spray contra la mesa, más fuerte de lo que pretendía, y me paré para ir al baño. No podía seguir ahí. Me quité los guantes y los tiré a la basura, abrí el grifo del lavabo e hice gárgaras de agua fría. Me la tragué, me limpié la cara con la manga, e hice una pausa. Después de un momento bebí más agua.

No me iba a permitir tener esta clase de pensamientos. *Yo no soy el asesino*, pensé, *el Señor Monstruo es el asesino. Yo soy el que lo detiene*. Tenía miedo.

Pero tenía que volver allí. Tenía que saber todo lo que pudiera del cadáver, porque eso me diría más de la persona que lo había hecho. ¿Pero por qué necesitaba saberlo? Recordé las palabras del agente Forman: "Tú no eres un policía. Tú no eres un investigador". No necesitaba estudiar este cuerpo en lo absoluto. Podía ignorarlo por completo.

Regresé a la sala de embalsamamiento sin pensar; mis pies se movían automáticamente. Me di la vuelta para irme pero en vez de eso saqué dos guantes más de la caja en el mostrador.

–¿Todo bien? –preguntó mamá.

–Todo bien –respondí. Regresé a la mesa y tomé mi trapo como excusa para mirar de cerca las cortadas en los brazos del cadáver.

–Ya acabamos con la parte de enfrente –dijo mamá–, ayúdame a sentarla para que podamos hacer la parte de atrás.

Tomé un hombro, mamá tomó el otro y la jalamos; el rigor mortis ya había desaparecido y el cuerpo se movió con facilidad.

–Oh-oh –dijo mamá, quedándose congelada en su lugar. El cadáver estaba sentado ya a la mitad, pero era ligero, hueco y fácil de sostener. Miré la mano de mamá y la vi presionando la piel de la espalda del cadáver. Se movía de forma extraña.

–Gas de tejidos –anunció. Margaret se volteó y miró cautelosamente a mamá.

–Estás bromeando.

–Ven a ver –le pidió mamá, y movió su mano otra vez. Miré más de cerca y lo vi: la piel se movía por encima del músculo libremente, como si nada los uniera. Eso era malo.

–La piel se resbala –afirmó mamá–. Los productos de limpieza de la autopsia habrán escondido el olor.

Se inclinó para examinar de cerca la espalda, la olió, luego se quitó la máscara y volvió a olerla. Se echó para atrás con cara de asco.

–Uh, es asqueroso. Vuelve a acostarla, John.

Recostamos el cuerpo, con la mente dando vueltas a toda velocidad. El gas de tejido era la peor pesadilla de un embalsamador: se trataba de una bacteria altamente contagiosa que liberaba un gas nocivo dentro del cuerpo. El olor usualmente era la forma más fácil de detectarlo, pero a veces –como con este cadáver–, el olor quedaba sepultado entre otros químicos y la única forma de identificarlo era por el "deslizamiento de piel" que mamá había encontrado en la espalda, donde las burbujas del gas interior habían separado la piel del músculo. El gas por sí mismo ya era suficientemente malo porque el hedor pronto se volvería tan intenso que iba a ser imposible ocultarlo; eso no nos hacía ver bien frente las personas que asistirían al velorio. Peor que el gas, no obstante, era la bacteria que lo producía: una vez que llegaba al espacio de trabajo, era muy complicado librarte de ella. Si no hacíamos algo inmediatamente, cada cuerpo que embalsamáramos iba a contagiarse de la misma bacteria de nuestros instrumentos y nuestra mesa. Podía destruir todo el negocio.

–Todos dejen de hacer lo que están haciendo y pensemos –dijo mamá–. ¿Qué hemos tocado?

–Los guantes de hule –enumeró Margaret–. Un bisturí para abrir la bolsa de materiales peligrosos; el trocar.

–¿Solo uno? –preguntó mamá.

–Ya estaba insertado en la aspiradora –le respondió Margaret–. Ni siquiera abrí la gaveta con los otros.

–Yo toqué la botella de spray, tres trapos, el peine y el shampoo –dijo mamá–. John tocó la botella y un trapo.

–Y la manija de la puerta.

–¿No te quitaste los guantes primero?

–No.

–John… –dijo mamá, molesta–. Está bien, ¿algo más?

–Yo toqué el carrito –respondió Margaret–, y deberíamos desinfectar las mesas laterales, solo por si acaso.

–Y la mesa de disección, obviamente –agregó mamá–. Designemos una zona de infección por donde está Margaret y pongamos todas los instrumentos que hemos utilizado ahí; mantendremos el resto de los instrumentos limpios y cuando terminemos de embalsamar podemos limpiar la habitación hasta que brille.

–Y necesitamos llamar a la policía –dije.

Mamá y Margaret me miraron sorprendidas.

–¿Por qué? –preguntó mamá.

–Esto puede ser importante en la investigación.

–¿No crees que ya saben? –preguntó mamá–. Han estudiado el cuerpo por cuatro días.

–¿Estaba escrito en los papeles? –pregunté.

Mamá lo pensó, luego miró a Margaret.

–Tiene razón. Ron nos lo hubiera dicho si lo supiera. Puede ser que la bacteria no se hubiera desarrollado todavía.

–Además de que Ron necesita desinfectar todo su laboratorio –afirmó Margaret–. De nada sirve que mantengamos limpio aquí si cada cadáver que nos mande ya está infectado –dijo, poniendo los ojos en blanco–. Y estoy pensando en ir yo misma a limpiar, no sé si confío en que Ron pueda hacerlo bien.

Mamá se quitó los guantes, los tiró en la basura, luego se lavó las manos con jabón y agua caliente en el lavabo. Cerró el grifo, se quedó pensando un momento y regresó a lavar también el grifo y el dispensador de jabón. Cuando estaba convencida de que todo estaba limpio me indicó que abriera la puerta, para que ella no tuviera que tocar nada más en la habitación, y fue a la oficina a hablar por teléfono.

–Bien pensado, John –dijo Margaret–. Si no sabían del gas de tejido, probablemente tiene heridas más antiguas de lo que ellos creen. Tienes un don para estas cosas.

Regresó a su pila de órganos y yo regresé a trabajar con el cuerpo. El gas de tejido era más común en llagas; en los pacientes de hospital que tenían escaras grandes y desagradables o en la gente anciana que pasaba semanas o meses enteros sin moverse. La gangrena era otra posible fuente de bacteria, y eso usualmente se mostraba en el mismo tipo de casos. Era posible que este cadáver hubiera desarrollado gas si había sido aprisionado en un lugar duramente por meses, sin que se le permitiera moverse, pero no había evidencia de eso aquí; además, ambas causas hubieran dejado heridas masivas en el exterior. La mayoría de las suyas eran pequeñas y cualquier infección obvia había sido limpiada durante la autopsia.

Había otra forma de adquirir ese tipo de bacteria, que no necesitaba de una herida profunda. Puse mis manos debajo de los hombros del cuerpo y lo levanté, sintiendo cómo la piel se deslizaba asquerosamente bajo mis dedos. La espalda estaba cubierta con cortes, pinchazos y quemaduras, justo como el resto del cuerpo, pero algunas, como había notado antes, eran más grandes. Más deformes. El forense había limpiado el cuerpo tan bien que no había infecciones visibles, pero el tamaño de las heridas era suficiente si sabías qué buscar: una serie de heridas similares a las otras, pero irregulares y deformadas como si hubieran sido estiradas. Igual que una escara, pero más pequeña. Había pocas maneras en las que eso sucedería en una herida común, y solo una resultaría en gas de tejido. De alguna forma, por accidente o a propósito, estas heridas habían sido infectadas con desechos humanos.

Examiné más de cerca las heridas. Era posible que hubiera estado retenida por días en una celda sin retrete, o algunas heces podrían haber sido forzadas manualmente por su agresor en las heridas. En cualquier caso, la deshumanización cruel y devastadora me pegó como una ola, arrastrándome a la eterna pesadilla en la que había estado desde que empezamos con el cuerpo.

Estaba en el cuatro de embalsamamiento, pero también en un sótano de algún lugar; estaba con Janella Willis cadáver, pero también con Janella Willis la víctima llorona y gritona; no una vez sino una docena de veces, cientos de veces, todas al mismo tiempo; diferentes realidades se entretejían adentro y afuera una de otra gritando a mi alrededor. La apuñalaba, la quemaba, le rompía los huesos. A veces me reía, otras veces maldecía y me enojaba, y otras veces simplemente estaba ahí, pasivo y vacío. Parte de mi mente disfrutaba la adrenalina que me producía, mientras que otra parte estaba tratando de analizar las posibilidades; quería callar a ambas partes, desesperado por pensar en algo más, pero era demasiado.

En vez de eso me centré en el lado analítico, obligándome a volverlo algo útil y esperando que de alguna forma estas representaciones mentales del escenario me permitieran aprender algo o descubrir algo nuevo. Pero en vez de eso terminaba reproduciendo los mismos escenarios con Brooke, simultáneamente seducido y asqueado por su grito desgarrador.

¡No!

Me negué a hundirme en ese pensamiento. Mis ojos estaban abiertos, pero ensoñaciones oscuras me nublaban la vista y se fundían con la realidad a mi alrededor. La mujer en la mesa era Brooke, su abdomen abierto a la mitad. ¡No! ¡Nunca Brooke! Traté de alejar mis pensamientos por completo, pero de nuevo era demasiado débil. Lo mejor que podía hacer era modificarlos, intercambiarlos con algo menos intenso.

Marci.

Marci era físicamente hermosa, pero no significaba nada para mí, y eso hacía que fuera más soportable pensar en ella. Fantasear con Brooke se sentía incorrecto, como si estuviera traicionándola directamente, pero si hacía lo mismo con Marci… no tenía ninguna clase de apego. No había nada que pudiera ser traicionado. Me aferré al pensamiento: pensé en el tamaño de Marci y en su tono de piel, en el castaño oscuro de su cabello; y ahí estaba en la mesa. Podía respirar con mayor facilidad ahora.

Ya que tenía mi mente bajo control me di cuenta de que estaba sujetando con fuerza la mesa con una mano, apoyándome en ella como si me fuera a caer. Necesitaba salir de allí. La puerta se abrió y mamá entró, suspirando, y yo puse la otra mano en la mesa, dando otro paso hacia la puerta.

Puedo hacer esto, pensé. *Estoy alejándome de una mala situación. Apenas puedo controlar mis propios pensamientos, pero sigo en control de mis acciones.* Mamá le dijo algo a Margaret, algo sobre Ron en el teléfono. Las ignoré. Necesitaba irme.

Un paso más. Lo estaba haciendo.

Y luego la puerta se volvió a abrir, y Lauren estaba allí, con la cara golpeada, los ojos hinchados por el daño y las lágrimas.

–¿Qué pasó? –exclamó mamá.

Lauren estaba gimiendo, como un gatito perdido en la vastedad mortal de la jungla. Sus palabras eran un nudo desgarrador de terror y confusión.

–Me golpeó.

Y entonces el mundo se hizo añicos, y el Señor Monstruo rugió tan fuerte que mamá, Margaret y Lauren pudieron escucharlo. Me miraron en shock y salí corriendo de allí.

¡Muerte! ¡Muerte!

La confusión se volvió rabia, y la profunda necesidad de matar explotó en un torrente de emoción al rojo vivo. *No puedo esperar más, ¡tiene que ser ahora!* Me fui, dando tumbos por el pasillo, perdido en mi propia casa, hasta que finalmente encontré la salida y aspiré aire fresco como un hombre ahogándose.

¡Mátalo! ¡Hazlo gritar!

¡NO!

Todavía era temprano, pero el sol ya estaba saliendo y una media luz fantasmal bañaba el pueblo. Me detuve un momento para recuperar el equilibrio, sosteniéndome de la pared, luego caminé hacia mi coche y lo encendí. Tenía que hacer algo. Las llantas rechinaron mientras me alejaba, y en mi mente Curt respondía con un grito de terror. En la esquina me forcé a girar en la dirección opuesta de su casa, conduciendo impulsiva y erráticamente, como si mis propias manos estuvieran luchando conmigo.

¡No voy a matar!

¿Entonces qué?

Pisé el acelerador con fuerza hasta llegar al límite del pedal y dejé que la adrenalina animal frente a la velocidad limpiara la bruma de mi mente. Cuando se aclaró bajé la velocidad y me respondí a mí mismo.

Fuego.

Podía sentir la necesidad hirviendo dentro de mí, un nudo tenso de ira que sacudía y estrangulaba a un ser vivo. El fuego lo calmaría. Fuego.

Conduje a toda velocidad al viejo almacén, deslizándome en la grava al estacionar. Salí del coche y azoté la puerta violentamente, haciendo que se sacudiera. Me encantaba el sonido. No había otro lugar al que pudiera ir e irrumpí en el almacén en busca de gasolina; no tenía mi botellón, pero ahí en la mitad del suelo había latas de pintura con base de alcohol. Tomé una y vertí el contenido en el colchón y en la pila de madera que había construido el otro día. Tomé otra y la arrojé sin dirección. Rebotó en una pared y cayó al suelo con un ruido sordo, rociando su líquido inflamable por todo el almacén. Pateé un barril para derribarlo, pero se quedó quieto. Lo volví a patear, una y otra vez, sintiendo la oleada de adrenalina mientras el barril resistía, resistía, hasta que finamente se volcó.

Luego pensé en Curt golpeando a Lauren, y grité otra vez. Mi grito hizo eco en el almacén, inarticulado e inhumano.

Busqué en mi bolsillo una caja de fósforos —algo que un piromaniaco siempre trae consigo—, y prendí uno con mis manos temblorosas. Doblé la caja de fósforos hacia atrás, atrapando la cabeza del fósforo con químicos entre la almohadilla y el cartón, y la raspé violentamente. El fósforo se encendió y con él prendí el resto de la caja. Sentí la adrenalina mientras se encendían, mi respiración era cada vez más rápida y urgente. Dejé caer la bola de fuego en el colchón empapado de gasolina. El fuego se esparció instantáneamente, alumbrando el lugar y luego apagándose un poco, conforme el combustible inicial se extinguía. Pronto el colchón estaba en llamas, no solo la pintura que había vertido, sino todo. Era hermoso.

El fuego se espació a otras cosas: las tablas de madera que había apilado, los tablones cercanos, la pintura desparramada en el suelo. Me quedé mirando cómo pasaba de un objeto a otro, a veces corriendo, a veces saltando, siempre moviéndose, creciendo y crujiendo del gusto. ¿Estaba el gato aquí? No me importaba, que se quemara. Me quedé ahí hasta que ya no era seguro, disfrutando de la liberación. ¡Esto es lo que quería! ¡Esto era el poder! Cuando el mismo fuego estaba haciendo mi voluntad, yo era prácticamente un dios.

Retrocedí lentamente, viendo las llamas bailar detrás de las ventanas. Mientras estaba de pie en la puerta de entrada, un destello de movimiento atrapó mi atención, y vi al gato blanco salir disparado de su escondite hacia la puerta abierta. Calculé el momento exacto en el que pasaría por la puerta y cuando lo hizo, lo pateé. Chocó contra la pared, lanzando un chillido. Lo tomé de la cola con las manos y lo levanté, enojado, moviéndolo de un lado a otro y golpeándolo contra la pared. Volvió a chillar, desesperado, y yo volví a azotarlo contra la pared del otro lado de la puerta. Golpeó con un crujido repugnante.

–¿Esto es lo que querías? –grité–. ¿Esto es lo que querías?

Me eché hacia atrás y luego lo arrojé a la mitad de las llamas, que en este momento tenían un anaranjado jubiloso. El gato salió volando en forma de arco hasta azotarse asquerosamente con una pila de madera. Lo escuché volver a maullar, débil y miserable, luego el calor era demasiado y abandoné el edificio.

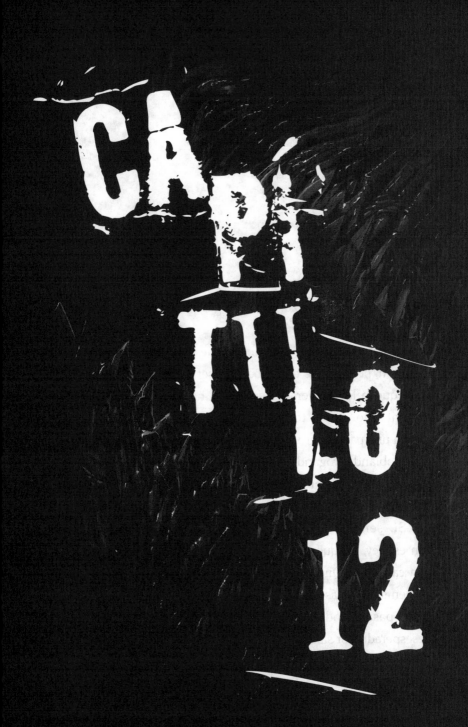

CAPÍTULO 12

Viste lo que le hizo. ¿Estás seguro de que no hay nada que puedas hacer?

Habían pasado dos días desde que Curt le había pegado a Lauren, pero ella se rehusaba a presentar cargos, y no había nada que la ley pudiera hacer. Mamá había pasado el primer día gritando —sobre todo por teléfono, aunque a todos nos tocaba una parte— pero ahora estaba cansada y desgastada. Seguía hablando, rogando porque alguien interviniera y salvara a su hija, pero sus protestas eran débiles y fatalistas: todos los que la podían ayudar ya le habían dicho que no.

—Sí, señora, entiendo la ley. Demandé a mi esposo con esa ley, así que la conozco muy... —pausa—. No, no estaban casados. ¿Qué tiene que ver eso? ¿Un ataque no es un crimen si no estás casado?

Yo pasaba todo el tiempo encerrado en mi habitación, desesperado por salir de casa pero asustado porque me pudieran arrestar. El almacén entero se había incendiado hasta los cimientos, y las llamas de alguna forma se habían esparcido a los árboles de alrededor; le había tomado al cuerpo de bomberos todo el día y gran parte de la noche apagarlo. Había dejado la escena antes de que cualquiera llegara allí, claro, pero desde el principio sospecharon que se trataba de un incendio provocado. Era más seguro permanecer dentro.

Más que el fuego, lo que me asustaba era el gato. Había matado a un gato. Nunca había hecho algo así, y me aterraba. Había roto muchas de mis reglas el año pasado, pero siempre había sido por una razón: había decidido racionalmente que debía espiar al señor Crowley, específicamente para encontrar la manera de hacer que dejara de matar. Había atacado a su esposa como parte de un cuidadoso plan, porque era la única forma de atraparlo, y finalmente matarlo porque era la única forma de salvar al pueblo. Todas esas decisiones habían sido delicadas y dolorosas, y había sopesado cada una con cuidado antes de dar el paso y romper la regla. Pero el gato… El gato era diferente. El gato era un impulso, una urgencia emocional, una decisión tomada al calor del momento, de la que apenas tuve conciencia hasta que ya había terminado. En todas mis decisiones previas había elegido cederle el poder al Señor Monstruo. Ese día en el almacén el Señor Monstruo había tomado el poder por sí mismo.

Y si lo había hecho una vez, podía volver a hacerlo. Me aterrorizaba pensar cuándo y dónde podía suceder, y qué podía hacer para detenerlo.

—Por favor…, mi hija fue atacada. Fue golpeada brutalmente por un ciudadano de su comunidad, que todavía está allí afuera en alguna parte. No, ¡no estoy siendo irracional! ¿Puedo hablar por favor con tu superior?

Me senté en el suelo de mi habitación, con la puerta cerrada con llave, mi cuerpo apretado en el hueco entre la cama y la pared. Tenía un cojín tapándome los oídos, pero aun así podía escuchar los gritos.

–Hola, ¿agente Forman? Habla April Cle... –pausa–. Sí, lo sé, lamento volver a llamarlo, pero... –pausa–. Pero ya hablé con ellos, y no hay nada que puedan hacer –pausa–. No, también ya hablé con ella... –pausa–. Pero debe de habe algo que usted pueda...

Seguramente había muchos insectos en el almacén, pensé. Y seguramente los maté a todos. ¿Los insectos estaban en contra de las reglas? Apuesto que he matado a muchos insectos en mi vida; había unos cuantos muertos en el parabrisas de mi coche, por el amor de Dios. ¿Se supone que debería sentirme culpable por ellos? Le di vueltas a la idea en mi cabeza, examinándola. *Los insectos posiblemente estaban bien. No sentían nada y no les importaba lo que hacías con ellos, y a nadie más le importaba tampoco, así que a mí tampoco tenía que preocuparme. Básicamente es por eso que estaban aquí en primer lugar, ¿no? No hacen nada más por nosotros. Debería salir y encontrar uno... solo uno. Ni siquiera lo mataría, solo le arrancaría un ala o una pata. Algo pequeño. Nadie lo notaría jamás.*

–Hola, ¿esta es la línea de abuso doméstico? Mi nombre es April, y vivo en Clayton... –pausa–. Sí, en el condado de Clayton –pausa–. Sé que no tienen una oficina aquí, llamo de larga distancia para contactarlos –pausa–. Ya llamé a la policía y ellos no... Sí, esperaré un momento.

Me puse de pie y salí. Solo necesitaba un insecto, uno pequeño, como una mariquita. Por lo general había una gran pila de hormigas en una de las grietas de la acera, y podía aplastar un puñado entero si quería, pero eso no ayudaría. No sentiría satisfacción en un pisotón rápido. Quería un insecto al que le pudiera dedicar tiempo y ver qué pasaba si perdía todas sus patas. Quería que supiera que estaba siendo lastimado por mí, por una mente que sabe lo que hace, y no por algún cambio de temperatura. Le quité el seguro a mi puerta y me dirigí hacia el pasillo, con la esperanza de poder salir sin que mamá me detuviera.

Estaba tan solo a tres pasos de la puerta del apartamento cuando alguien tocó.

Mamá levantó la vista del directorio telefónico, con los ojos rojos y demacrada. Se quedó observando la puerta con una mirada en blanco de incomprensión, como si no estuviera segura de qué era. Volvieron a tocar.

—Bueno, ve a ver quién es —dijo mamá, fastidiada. Abrí la puerta y sentí una sacudida en el estómago: era Lauren, con el ojo negro y el rostro lleno de lágrimas secas. Me miró con una sonrisa rota y me tomó la cara de donde Rob Anders me había golpeado.

—Somos gemelos —dijo con suavidad. Apoyó sus dedos en mi pómulo, justo debajo de la delgada costra donde Rob me había abierto la piel.

—Por favor, dime que entraste en razón —le suplicó mamá, poniéndose de pie—. Puedes quedarte aquí si lo necesitas…

—No, madre, vengo aquí a decirte que pares —dijo Lauren—. Traté de llamarte, pero ni siquiera lo logré porque no dejas el asunto en paz. ¡Deja de llamar a la policía!

—¡Pero necesitas reportar esto!

–¡No, no necesito hacerlo! –exclamó Lauren–. Mira, solo estaba asustada ese día que vine, y no sabía en qué estaba pensando, pero ya lo sé ahora. Sé que no lo entiendes…

–¿Crees que no lo entiendo? –preguntó mamá, acercándose–. ¡Sabes por lo que hemos pasado aquí! ¡Sabes lo que tu padre me hizo!

–¡Deja de meter a papá a esto! –exclamó Lauren–. No tiene nada que ver con él, porque Curt no es papá y yo no soy tú. Curt realmente me ama, y hemos hablado al respecto, y sabemos que nunca más va a volver a suceder, y…

–¡No seas idiota, Lauren! –gritó mamá–. ¿Cómo puedes decir que…?

–¡No vine a que me grites, madre!

–¡No, para eso tienes a alguien en casa!

Me di la media vuelta para meterme en mi habitación, pero mamá me tomó del brazo.

–No te vayas –dijo–, eres parte de esto tanto como nosotras. Dile que necesita llamar a la policía.

–No metas a John en esto… –pidió Lauren.

–¡Dile! –insistió mamá.

No sabía que decir, así que me quedé mirándolas sin poder decir nada y traté de tener pensamientos pacíficos: el Lago Freak en invierno, solitario y calmado; nuestra calle de noche cuando nada se movía; un cuerpo en la mesa de embalsamamiento, perfectamente quieto y silencioso.

–No puedes vivir así –le dijo mamá, luego volteó a mirarme–. Dile que no puede vivir así.

–No quiero involucrarme –susurré.

–¡No quieres involucrarte! –gritó mamá–. Todo lo que haces es sobrerreaccionar a los problemas, ¿y ahora no reaccionas en absoluto?

–No quiero involucrarme –repetí.

–¡Ya estás involucrado! –gritó mamá–. ¿Acaso soy la única persona cuerda que queda? ¿Soy la única persona en el mundo entero que piensa que el hecho de que golpeen a mi hija es una gran cosa? ¿Que es algo por lo que vale la pena luchar? Es decir... Lauren, cariño... ¿no te quieres a ti misma ni un poco?

–No sé para qué vine –dijo Lauren, dando la media vuelta para irse–. Es como hablar con la pared más hostil del mundo.

–Viniste porque sabes que yo te puedo ayudar –espetó mamá con dureza, siguiéndola hacia la escalera–. Yo he pasado por esto, y sé por lo que estás pasando.

–Solo porque tú arruinaste tu propia relación no significa que vas a arruinar la mía –respondió Lauren, con voz distante. Ya estaba a mitad de las escaleras.

Mamá se rio con ese tipo de risa seca y quebradiza que quería ser algo entre un grito y un llanto y se había quedado a la mitad de los dos.

–¿Crees que yo arruiné mi relación? ¿Crees que mis ojos morados y mi tobillo roto y todo el divorcio fueron mi culpa? –su voz se volvió aún más ronca y desesperada–. ¿Tú crees que tu ojo morado es tu culpa? ¿De eso se trata?

La puerta de las escaleras se abrió, pero en vez de escuchar los pasos de Lauren yéndose enojada, escuché la voz de Brooke.

–Eh... Hola –saludó alegremente–. Eres Lauren, ¿cierto?

–Sí –respondió Lauren con lentitud. Aparentemente no reconoció a Brooke–. ¿Vienes aquí a ver a John?

–Hola, Brooke –saludó mamá desde arriba de las escaleras, secándose los ojos rápidamente–. Pasa, cariño.

–No quiero interrumpir nada –dijo Brooke.

–No, no, está bien –respondió mamá, invitándola a pasar a la sala–. Todo está bien. Pasa.

–¿Qué te pasó en el ojo? –preguntó Brooke.

–John también tiene uno –respondió Lauren, evitando la pregunta–. Son de familia.

Mamá frunció el ceño.

–Espero que estés bien –dijo Brooke.

–Ya me estaba yendo –contestó Lauren y se despidió de mí–. ¡Adiós, John!

Yo no dije nada por un momento, luego escuché el chillido de las bisagras de la puerta abrirse y grité:

–¡Adiós, Lauren!

Los pasos de Brooke crujieron en las escaleras, y mamá se hizo a un lado para que pasara. Estaba vestida como siempre, con colores brillantes de verano, mientras que yo estaba en mi pijama negra y arrugada; ni siquiera me había molestado en vestirme todavía.

–Hola, John –dijo, con los ojos iluminados. Se rio–. Guau, ojalá yo también siguiera en pijama.

–Sí –dije. Mamá estaba frunciendo el ceño detrás de ella, con los ojos puestos en la escalera, obviamente esperando perseguir a Lauren para continuar la pelea.

–¡No! –exclamó Brooke, repentinamente avergonzada–, no era mi intención… no estoy tratando de burlarme. Demonios

–apretó los ojos. Hubo una pausa incómoda, luego volvió a sonreír–. Qué loco estuvo todo el otro día, ¿verdad?

–Sí –repetí. Afuera, Lauren azotó la puerta y un momento después se escuchó el motor de su coche.

–Pero bueno, el caso es que –dijo Brooke–, yo, ehhh… esto es estúpido, pero… te escribí un poema.

–¿De verdad? –pregunté, girando para mirarla.

–Sé que es un poco cursi –aclaró, hablando rápidamente–, pero fue idea de mi mamá. Quiero decir, el poema fue idea de mi mamá, pero aquello de lo que se trata el poema es mi idea, y no quiero que pienses que… –puso los ojos en blanco, avergonzada, y luego sonrió alegremente–. Estoy arruinando esto, ¿verdad?

Mamá estaba llorando silenciosamente al lado de ella. Esperé un momento más.

–Y entonces, ¿lo trajiste?

–¡Ah! –exclamó Brooke–. Lo siento, estoy un poco nerviosa. Sí, aquí está –me pasó un trozo de papel prolijamente escrito–. Es un poema corto, no te vayas a entusiasmar creyendo que es un gran soneto y luego te des cuenta… Es que es un poco… Bueno, como sea, ahí lo tienes –volvió a sonreír, mirándome sin moverse–. Iba a recitártelo –continuó–, pero entonces hubiera tenido que arrastrarme a un hoyo para que me tragara la tierra de la vergüenza, así que lo siento, estás por tu cuenta.

Miré el papel. Eran cuatro líneas, escritas con caligrafía curvilínea ligeramente adornada que sugería que primero lo había escrito en otra parte y luego había copiado el producto final ahí para que se viera bien.

Salimos a la Fogata en una noche oscura y borrascosa
Creímos que iba a ser divertida; en vez de eso fue tormentosa.
Todavía quiero salir contigo, volvámoslo a intentar
Si no tienes planes pasa por mí mañana, nos podemos animar.

Ella quería salir conmigo otra vez... Después de todo lo que había pasado, después de todas las cosas terribles que había hecho la semana pasada, todavía quería salir conmigo. Y no sabía si yo seguía confiando en mí.

—Sé que es un poema tonto —repuso bajando la mirada—, pero creí que sería divertido, ya que no tuvimos oportunidad de terminar nuestra última cita... quiero decir, apenas la empezamos, en realidad, y bueno...

Ya no podía confiar en la funeraria como un lugar para liberar la presión, y el incendio no había funcionado nada bien, solo me había puesto más ansioso. Brooke podía ser la mejor manera de olvidar todo y sentirme normal.

Frunció los labios y su cara empezó a ponerse roja. De repente me di cuenta de que todavía no había dicho nada.

—Claro —contesté rápidamente—. Suena genial —su rostro se iluminó rápidamente—. ¿Mañana por la tarde?

—Sí —respondió—. ¿Alrededor de las 5?

—Seguro —hice una pausa—. ¿Qué quieres hacer?

—Déjame encargarme de eso —dijo—. Solo tráete a ti. Y a tu coche —se rio.

—Está bien —asentí—. Paso por ti a las cinco.

—Genial —dijo.

—¡Muy bien!

Se dio la media vuelta, le sonrió a mi mamá, luego se despidió de mí con la mano y bajó alegremente saltando las escaleras.

–¡Nos vemos mañana!

–Eso tiene sentido –dijo mamá, saliendo del rellano y cerrando la puerta–. El único miembro de esta familia con una relación normal es un sociópata –se rio ligeramente y se sentó en el sofá.

En el fondo de mi mente, una pequeña voz me decía que esto era una mala idea.

Qué extraño, pensé. *Normalmente la voz me dice que siga a Brooke, y yo le digo que se aleje. Mmm.*

CAPITULO 13

Hice una pila de grillos cerca de los árboles detrás de mi casa; eran pequeños y negros, y agitaban las alas salvajemente. A un lado puse una pila de patas miniatura de grillos, como virutas de plástico fino. Sin sus piernas se retorcían impotentes, con los abdómenes encrespados como dedos regordetes y agitando las alas contra el aire, la tierra y la gravedad. No podían levantarse del suelo, necesitaban piernas para levantarse y tomar vuelo. Era fascinante observarlos.

Pensé que tal vez les iba a salir sangre de los muñones, o lo que sea que tuviera un grillo en su interior, pero las articulaciones se separaron enteras, como pétalos de una flor. No había heridas.

Enterré la pila de agónicos grillos y me lavé las manos. Necesitaba prepararme para esta noche.

Brooke no corría ningún peligro conmigo, por muchas razones. Primero, estaban mis reglas: me detenían de hacer cosas que no debía hacer, y llevaba varios días siguiéndolas estrictamente. La segunda razón, que iba de la mano de la primera, era el simple hecho de que mamá había estado fuera de la casa todo el día. Había ido a casa de Margaret, luego a casa de Lauren a tratar de persuadirla otra vez para que hiciera una denuncia por abuso doméstico. Yo había alejado todo eso de mi cabeza, llenándola en vez de eso con pensamientos placenteros y mantras relajantes. 1, 1, 2, 3, 5, 8, 13, 21. Estaba en paz. Brooke no tenía nada que temer si tenía la mente en paz.

La tercera razón, por supuesto, eran los grillos: cualquier tendencia violenta o peligrosa que pudiera tener había sido saciada y sepultada con ellos bajo tierra. El Señor Monstruo estaba feliz, yo estaba feliz, el mundo estaba feliz.

Me detuve en el bosque detrás de mi casa. La casa de Brooke estaba a unos cuantos pasos a la izquierda; podía ver su techo desde aquí. Durante el invierno pasé muchas horas en ese bosque, subido en un árbol justo detrás de la casa de Brooke, viendo a través de su ventana. Nunca cerraba las cortinas, probablemente porque no esperaba que alguien estuviera allí: nuestra calle estaba justo en los límites de Clayton, y no había nada detrás de nuestras casas salvo por un kilómetro o dos de bosque.

Había dejado de hacerlo, por supuesto; era peligroso pasar tanto tiempo pensando en Brooke, que fue la razón por la que empecé a evitarla en primer lugar. Pero las cosas eran diferentes ahora. Estaba pasando más tiempo con ella, y ella quería que eso fuera así. Podía pensar en ella sin sentirme culpable. Y aún conservaba mis reglas, así que no iba a pasar nada malo.

Sin embargo, había al menos una regla que realmente necesitaba cambiar. Me sentí estúpido, en nuestra última cita, por no haberme permitido mirar su blusa. No es como que estuviera mirándole el pecho ni mucho menos, solo quería saber qué clase de blusa traía. No había nada malo en eso.

Estaba parado detrás de su casa ahora, todavía oculto por cincuenta metros o más en la cubierta de los árboles. Podía ver su ventana desde aquí, pero había demasiada luz afuera para ver lo que pasaba adentro, y de cualquier forma no estaba ahí por eso, solo estaba de paso. Aunque si pudiera ver, sabría qué llevaba puesto y podía vestirme acorde a eso. Seguía sin tener idea de qué íbamos a hacer. ¿Algo con clase? ¿Algo caótico? ¿Algo a medio camino de las dos opciones? Podía vestirme de forma completamente incorrecta para aquello que íbamos a hacer, y eso lo arruinaría todo.

No lo hagas.

Vi algo de movimiento en una de las ventanas de abajo. Quizá solo un vistazo rápido… No quería espiarla como antes, pero un vistazo rápido no era espiar. Solo pasaba por ahí de casualidad, y no le hacía daño a nadie ver lo que llevaba puesto. De hecho sería algo bueno, considerando cuán devastada se sentiría si yo apareciera con la ropa incorrecta, o vestido de una forma que chocara con la suya, así que prácticamente tenía el deber de echar un vistazo. Ella me había invitado a salir, después de todo… Lo menos que podía hacer era vestirme apropiadamente.

Me acerqué más, con los ojos saltando de un lugar a otro entre las dos ventanas. Tenían una puerta corrediza de vidrio en la cocina que llevaba a una terraza baja, y podía ver a alguien moviéndose dentro. ¿Era Brooke o su mamá? La puerta se abrió abruptamente y me escondí rápido detrás de un árbol.

Era el hermano menor de Brooke, Ethan. ¿Y si me había visto? ¿Ella cancelaría la cita? Me puse de cuclillas y empecé a caminar hacia atrás, por debajo de la línea de los arbustos. De pronto escuché una voz que venía de la casa, clara y hermosa.

Brooke.

Me levanté lentamente, moviendo la cabeza ligeramente hacia un lado para mirar a través de los árboles. Estaba de pie en el umbral de la puerta, llamado a Ethan para que se metiera en la casa. Llevaba puesto unos shorts de mezclilla, como siempre, y un top rosa con flores blancas. Se veía hermosa. Ethan se metió corriendo y Brooke cerró la puerta.

¿Ves? No le hizo daño a nadie. Había estado bien romper esa regla y permitirme ver a Brooke con libertad.

Esta cita iba a ser perfecta.

Ya en casa escogí algo de ropa, bonita, pero suficientemente casual para que hiciera juego con lo que Brooke llevaba puesto, y luego me duché con cuidado, lavándome las manos cinco veces para estar seguro de que el olor a tierra y a grillos se hubiera ido. Había pasado prácticamente todo el día en el bosque, y ya casi era hora de recogerla. Me vestí rápidamente y tomé mi cartera y mis llaves de su lugar en mi mesita de noche. Junto a ellas estaba una vieja navaja de bolsillo, de cuando iba a los scouts; había empezado a afilarla los últimos días, solo para pasar el rato. ¿Debería llevármela? Era improbable que fuera a necesitarla, claro, pero nunca se sabe. ¿Qué habría pasado si la hubiera llevado el día del lago, por ejemplo, cuando encontramos el cuerpo en los juncos? Podría haberla liberado de las cuerdas. Y después de todo, todavía no sé lo que Brooke estaba planeando para nuestra cita... Bien podríamos cruzarnos con un tornillo suelto, o uno demasiado apretado; podríamos necesitar abrir una botella o perforar una lata. Brooke estaba vestida casualmente, después de todo, y la última vez había dicho que le encantaba pescar en el lago, así que hasta donde tenía entendido bien podíamos ir ahí, o podíamos hacer una parada y destripar un pescado.

No lo hagas.

Tonterías; el cuchillo estaba afilado, perfecto para deslizarse a través de la carne de un pescado y rebanarlo en un corte limpio de punta a punta. A Brooke le encantaría. Acaricié el cuchillo en mi bolsillo y sonreí. Hora de ir con ella.

Llegué temprano a la casa de Brooke y toqué la puerta. Se escuchó que alguien gritaba dentro, seguido de unas pisadas aceleradas en las escaleras. Cuando Brooke abrió la puerta, con una amplia sonrisa, traía puesta una blusa distinta: azul, blanca y negra en franjas irregulares.

–¡Hola, John! –saludó. ¿Por qué se había cambiado?–. ¿Estás bien? –preguntó.

–Sí –sonreí falsamente. Miles de razones pasaron por mi cabeza: sabía que la estaba viendo y se cambió como una forma de venganza; supuso que estaría viendo y se cambió para medir mi sorpresa y saber la verdad. No importaba por qué, era diferente y se sentía inadecuado. Una tarde llena de escenarios imaginarios se desmoronó frente a mí, falsa y repugnante ante esta blusa nueva, que no había visto y que no estaba planeada.

–¿Seguro que estás bien? –preguntó–. Te ves como enfermo.

Estaba preocupada por mí. Lo que significaba que le importaba. Lo que significaba que era estúpido alterarme tanto.

No era la blusa lo que me molestaba, en realidad, era el cambio, la impactante diferencia entre mis fantasías vívidas y la verdad sorda y frágil. Y la nueva blusa era bonita, justa pero suelta, y complementaba su figura sin enseñar demasiado. Necesitaba superarlo.

Sonreí otra vez y me acerqué.

—Estoy bien, la blusa está bien.

—¿La blusa? —se veía confundida.

—El cuello de mi camiseta me picaba un poco hace rato —dije, pensando rápido—. Está bien ahora. ¿Estás lista?

—Sip.

Tomó una mochila de lona de adentro y salió de la casa. Ahora llevaba pantalones en vez de shorts y su largo cabello rubio estaba suelto y ondulado. Se veía fabulosa y me permití mirarla con admiración mientras se colgaba la mochila y cerraba la puerta. Era más delgada que Marci, menos curvilínea, pero de alguna forma más elegante; la diferencia entre las dos chicas era contundente para mí: Brooke estaba en un plano superior, elevada y elegante. La seguí al coche.

—Tienes suerte el día de hoy —afirmó con una sonrisa—: Papá dijo que ya te había puesto condiciones una vez y lo hiciste bien, así que no necesitaba volver a hacerlo.

—¿Lo hice bien? —pregunté.

—Todo el mundo se asustó cuando vio el cuerpo, pero tú fuiste el único suficientemente valiente para hacer algo al respecto.

—Eso es porque los cadáveres no me dan miedo —respondí—. Cuando lo piensas, los cadáveres son el tipo de cuerpos que dan menos miedo, ¿sabes? Quiero decir, no hay nada que te puedan hacer, a menos que no te laves las manos o algo.

Brooke se rio y se quedó de pie frente a su puerta. Esta vez la abrí con delicadeza, anticipándolo, saboreando el toque prohibido de la manija de la puerta. No se había subido a mi coche desde que acabó la escuela, pero la puerta seguía sintiéndose especial; había sido suya por tanto tiempo que nunca más sería igual. Me subí de mi lado y saqué las llaves.

—¿A dónde vamos? —pregunté.

—Primero lo primero —dijo, apuntándome con el dedo índice simulando una reprimenda—. Todavía no estás vestido adecuadamente.

—¿No? —pregunté, girándome a mirar la ropa. Era justo lo que me había preocupado, y pese a todos mis esfuerzos, lo había hecho mal. Ella estaba mucho mejor vestida que yo; seguramente me veía como un asqueroso idiota a su lado.

—Bueno, John y Brooke están vestidos, supongo —dijo con una sonrisa—, pero nosotros ya no somos John y Brooke: somos turistas.

¿Qué? Eso no era lo que estaba pensando.

—¿A dónde vamos?

—Vamos al exótico pueblo de Clayton —dijo, buscando en su bolsa y extrayendo un puñado de ropa. Me pasó una camisa hawaiana—. Ponte esto.

Mis expectativas de la tarde se derrumbaron aún más; yo estaba esperando una actividad como pescar o ir al cine, pero esto era completamente diferente. Había imaginado la tarde en mi cabeza una docena de veces o más, y en ningún caso era algo como esto.

Brooke extrajo más ropa de la bolsa: una camisa hawaiana brillante para ella y una gran cámara negra con correa multicolor. No estaba muy habituado a tener citas, esta era mi segunda en la vida, de hecho, pero nunca antes había visto a chicos pasearse por el pueblo vestidos como turistas; esto no podía ser un escenario común de citas.

—¿Eres bueno imitando acentos? –preguntó Brooke.

—Me temo que no.

—Yo hago un acento ruso bastante estúpido –dijo, poniéndose un sombrero para el sol de ala ancha–. Supongo que nos tendremos que conformar con eso.

No estaba seguro de qué hacer, pero se sentía bien estar con Brooke, mirarla, hablar con ella. Cualquier cosa que tuviera que hacer para estar con ella valía la pena. Tomé la camisa hawaiana y me quedé mirándola, tratando de pensar en algo gracioso que decir.

—¿Quieres decir que tu acento ruso es estúpido –pregunté–, o que los rusos tienen un acento estúpido?

Guau, tenía que pensar en algo mejor que eso.

—No te burles de los acentos –respondió gangosa, sonando como una villana de una película de Bond. Debió de haber practicado mucho–. Tú eres Boris, y yo me llamo Natasha. Ponte la camisa.

La vi ponerse la camisa hawaiana encima de la ropa. Estar con ella así y ser capaz de observarla sin restricciones me daba la misma adrenalina prohibida que había tenido al abrir la puerta. Se levantó el cabello para liberarlo de su disfraz gigante y cayó sobre su espalda en ondas doradas. Era una disonancia visual bastante extraña: todavía era Brooke, la fantasía intocable, pero también era alguien más. Alguien real y muy tocable.

Solo apégate a las reglas.

–Sabes... –dije– ...realmente eres extraña una vez que entras en confianza.

Brooke levantó la ceja melodramáticamente.

–¿No te gusta el plan?

–¿Bromeas? –pregunté, poniéndome la camisa de turista encima de la mía. Me daba la vertiginosa sensación de que estaba siendo alguien más, como si hubiera salido de John Cleaver por completo. Ahora era Boris, y Boris no tenía los problemas que John tenía–. Creo que suena genial.

–Bien –respondió, extrayendo un par de lentes oscuros de plástico de colores chillones–. La guía de viajes habla bien de Clayton. Empecemos con cocina local: Hamburguesas Amigables.

–¿Estás segura de que quieres comer en Hamburguesas Amigables? –pregunté–. Hay mejores lugares para ir.

–Tú no lo sabes –aseguró con firmeza, moviendo su dedo–. Boris nunca ha ido a Clayton.

Me recargué en el asiento y me quedé mirándola: realmente iba a jugar su papel y a ser estricta con las ridículas reglas de su puesta en escena. Bueno, lo que ella no sabía era cuán experto era yo en seguir reglas estúpidas.

–Si nunca he estado aquí –seguí su juego–, entonces no sé cómo llegar.

Brooke sonrió, triunfante, y sacó un fajo de papeles de su bolsa–. Está bien –dijo–, descargué el mapa de Internet.

Me reí, prendí el coche y empezó a leer las instrucciones del mapa. Las seguimos al pie de la letra, fingiendo completa ignorancia del pueblo, y llegamos a las Hamburguesas Amigables tan solo un poco más tarde de lo que lo hubiéramos hecho si íbamos de la forma regular. Apenas nos estacionamos, Brooke se bajó del coche y detuvo a una mujer en la calle, con la cámara en las manos.

—Mi amigo y yo venimos de afuera —dijo, con su acento de villana de Bond más gangoso que nunca—. ¿Nos toma fotografía?

La mujer se quedó mirándola sorprendida. Luego asintió con la cabeza, extrañada. Brooke y yo nos paramos en frente del letrero descolorido de Hamburguesas Amigables, señalándolo estúpidamente, y la mujer tomó la foto. Brooke le agradeció, recogió la cámara, e hizo lo mismo con otras personas, haciendo que nos tomaran fotos en la barra, al menú, e incluso al desvencijado tren de juguete que recorría unas vías en los bordes del techo. La veía fluir con facilidad de una conversación a otra, dejando a todas las personas confundidas pero contentas. Finalmente ordenó dos "Hamburguesas con queso y papas de Francia" y nos sentamos a comer. Le di una mordida a la hamburguesa, sintiendo la carne en mis dientes, y sonreí.

—Me gusta este lugar —dijo, mordiendo una papa frita por la mitad—. Es buena comida estadounidense. Nos pone gordos, como estadounidenses.

Los músculos de su cuello se movían ligeramente mientras masticaba, hacia adentro y hacia afuera, hacia adentro y hacia afuera, formando sensuales ondas bajo su piel.

—¿Qué sigue? —pregunté.

—Ir a otros lugares —respondió—. Lugares a los que los turistas irían si vinieran acá. A la Corte del Condado. Al Museo del Zapato.

–Ahh, el Museo del Zapato –dije, sonriendo ante la idea. El Museo del Zapato era básicamente solo una casa de un tipo loco, llena de repisas y repisas con zapatos y otra basura relacionada con zapatos, que había acumulado a lo largo de su vida. Uno de los clásicos lugares icónicos del "Corazón de Estados Unidos" que sobrevivía solo por el valor *kitsch* que tenía. Era la burla de los chicos locales, pero era el único lugar realmente "turístico" de Clayton, e ir con Brooke podía de hecho ser divertido. Me la imaginé tomando fotos sin pausa de los aparadores de zapatos, simulando estar fascinada por todo lo que veía, y sonreí.

–Somos turistas –dijo inocentemente–. Si letreros en la carretera dicen que visitemos Museo del Zapato, visitamos Museo del Zapato.

–Genial –contesté–. O lo que sea que digamos en Rusia cuando queremos decir genial. *Sputnik*.

–¿*Sputnik*? –preguntó Brooke, riéndose.

–Quiere decir "genial" en ruso –respondí–. El nombre del satélite fue un accidente, en realidad: lo construyeron, lo vieron y dijeron "¡*Sputnik*!". El nombre pegó. Desde entonces se avergüenzan de él.

Brooke se rio otra vez, luego agitó la cabeza.

–Quieres decir que desde entonces *nosotros* nos avergonzamos de él. Después de todo, somos rusos de nacimiento –dijo usando otra vez su acento–. Esta es primera vez fuera del país.

Sonreí. Era divertido pensarme como alguien más, era liberador, como si todo mi historial, todos mis miedos, toda mi tensión hubieran desaparecido. No había preocupaciones.

No había consecuencias.

Me comí una papa y me incliné hacia delante.

–¿Y quiénes son Boris y Natasha? –pregunté– ¿Cómo nos conocemos?

Me devolvió la mirada, encontrándose con mis ojos y estudiándome a través de sus lentes de plástico barato.

–Crecimos en el mismo pueblo a las afueras de Moscú –dijo–. Claytonograd.

–Así que llevamos conociéndonos toda la vida.

–La mayor parte de nuestra vida, sí –respondió–. Somos viejos amigos.

–Debemos ser muy cercanos si viajamos juntos –continué–. Quiero decir, Boris no va hasta Estados Unidos con cualquiera.

Una pequeña sonrisa apareció en la comisura de sus labios.

–Tampoco Natasha.

Quería acercarme a ella, tocarla, sentir su piel bajo mis dedos. Nunca me había permitido siquiera pensar en tocarla, aunque eso nunca me había detenido en mis sueños, noche tras noche, con su cuerpo en la mesa de embalsamamiento. La había lavado y le había cepillado el pelo, limpiado su pálida y preciosa piel; había masajeado sus músculos rígidos por el rigor mortis hasta que habían quedado flojos y cálidos en mis manos. Había otros sueños, sueños más oscuros, pero los alejé de mi mente ahora, igual que había hecho antes. No iba a pensar en violencia. 1, 1, 2, 3, 5, 8, 13.

–Creo –dije–, que este viaje a Estados Unidos está saliendo muy bien. Gracias por invitarme.

–Gracias por venir.

El mundo entero parecía enrollado y apretado, centrado en este momento. Quería –necesitaba– tocarle la mano. Nunca antes me hubiera atrevido, por los pensamientos que me despertaba, pero ese era el viejo John. Ese era el John que no se había permitido mirarla; para él, tocarla era completamente ilícito. Pero no para Boris. Boris podía mirar. Boris no tenía reglas, no tenía miedo. No había peligro en tocarle la mano; era solo una mano, una cosa al final de su brazo. Su mano había tocado la mesa, la banca, la comida, ¿por qué no podía tocarme a mí? Estiré el brazo, lento pero constante y puse mi mano en la suya. Sus dedos eran lisos y suaves, justo como en mis sueños. La tomé por un momento, sintiendo la textura de su piel, las líneas de sus nudillos, los filosos cristales de sal de sus papas. Ella me apretó la mano, temblorosa, excitante y viva.

–*Sputnik* –dijo, sonriendo.

Nos miramos a los ojos y hacia dentro de nosotros, sintiendo una vibración en nuestros dedos que hacía que el mundo entero fuera más brillante: los colores más profundos, los contornos más definidos, los sonidos ricos y resonantes. Comimos nuestra comida con una sola mano, sonriendo como idiotas, sin decir nada de nuestras manos entrelazadas y sin atrevernos a soltarnos. Había una conexión entre nosotros, vibrante y cargada, y…

…algo no estaba bien.

Quise pensar en otra cosa, pero una vez que mi mente se hizo consciente del sentimiento fue imposible de ignorar. Tan increíble como era, faltaba… algo. Algo que debía de estar ahí pero no estaba, como un hoyo negro en un hermoso rompecabezas. ¿Otra vez se trataba de mis expectativas, molestas por quedarse solo a la mitad? Pero no. Había imaginado este momento, o uno como este, cientos –miles– de veces, y no faltaba nada. Me sentía emocionado; tenía control de mí mismo y de la situación; Brooke estaba hermosa y tan emocionada como yo. ¿Qué podía estar faltando?

Pero algo faltaba, y me carcomía como un cáncer. Miré alrededor de la habitación, en busca de algo que estuviera fuera de lugar. No había nadie que conociera, nadie riéndose o llorando o gritándome. Vi la televisión zumbando en una esquina, vi la máquina de bebidas goteando lentamente, gota a gota; vi las servilletas y los sorbetes y los cuchillos de plástico, blancos y brillantes en sus dispensadores.

Y entonces supe qué era.

Mis ojos se fijaron en los cuchillos de plástico y supe, como un rayo atravesando mi mente, que la conexión que sentía con Brooke era solo la sombra de una conexión más intensa y estremecedora que había sentido antes, en la cocina de mi casa, sosteniendo un cuchillo mientras mi madre se encogía aterrorizada. En esa ocasión habíamos dejado de ser dos personas para ser una, unida en cuerpo y mente por una emoción abrumadora: miedo. Nos habíamos movido juntos, sentido juntos, y juntos habíamos pensado los dos lados del mismo pensamiento. Había sido una explosión de emoción, pura y desenfrenada, el tipo de conexión que supuestamente los sociópatas no tienen, pero la había sentido por completo, y había sido más real y más poderosa que cualquier cosa que jamás había experimentado.

Esto debería ser igual –o mejor–, pero no lo era. Y ahí estaba el hueco. En todos mis sueños con Brooke habíamos sentido la misma conexión intensa, y ahora que el momento finalmente estaba ahí no había tal conexión. ¿Por qué no?

¿Había hecho algo malo? ¿O Brooke? Giré a mirarla, y ella también me estaba mirando, ya no alegre sino preocupada. El lapso de emoción me hizo estallar en enojo, furioso de que ella rompiera el vínculo ya de por sí tenue, pero me calmé. Simplemente estaba sintiendo el mismo hueco que yo. Pero ahora que ya sabía qué faltaba, podía planearlo para la siguiente vez... podía extirparlo a la fuerza como un nudo en una maraña de pelo.

Tomarnos de la mano no era suficiente, al parecer. Necesitaba más.

—No puedo creerlo —dijo Brooke, con un hilo de voz—. No puedo creerlo.

¿Estaba hablando de mí? Pero no, no me estaba mirando a mí en absoluto, sino a la televisión. Todos en el restaurante estaban viendo la televisión, callados y pálidos como cadáveres.

Me volteé para confirmar lo que ya sospechaba que veía.

—La policía asegura que el cuerpo está mucho más desfigurado que los primeros tres —anunció el reportero—, pero estaba amarrado de manera similar. No han revelado más detalles por el momento, pero sí invitan a todos los que están en el área a informar de cualquier pista o información que pudieran tener. Ustedes, ciudadanos del condado de Clayton, son los únicos que pueden detener al asesino.

CAPITULO 14

Dos de dos –dijo Brooke, parada en el porche de su casa. Dos citas y un cuerpo encontrado en cada una de ellas–. En cualquier caso, gracias por aceptar. ¿Te arriesgarías a una tercera? –puso una sonrisa pícara.

–Seguro –respondí, tratando de no pensar en su cuerpo flotando en el lago–. Es solo una coincidencia.

–Una muy horrible –dijo. Nos quedamos de pie en silencio por un momento.

–En fin, nos vemos mañana.

–Nos vemos.

Abrió la puerta de su casa y entró, con la mochila de turista llena de parafernalia, y caminé a mi coche vacilante. Otra víctima. Otro mensaje del asesino. ¿Qué estaba diciendo en esta ocasión? Necesitaba saber más.

Forman había estado en la escena del crimen; lo sabía porque lo había visto en la televisión. Él sabría más, ¿pero podría convencerlo de que me lo contara? Me había pedido ayuda antes; quizá la aceptara ahora, a cambio de información. Quizá el solo acto de pasearme por la estación de policía podría darme alguna pista. Solo había una manera de averiguarlo, y tenía que hacerlo. Sentía como si mi mente me estuviera devorando vivo.

Subí a mi coche y me dirigí al centro. Probablemente Forman siguiera en la escena, pero tarde o temprano tendría que regresar a la estación con informes para archivar y evidencia para registrar. Podía esperarlo toda la noche.

Desde afuera, la estación de policía se veía oscura y solitaria, aunque vi con interés que la oficina de Forman estaba iluminada. El frente también tenía las luces encendidas, y podía ver a Stephanie, la recepcionista, adentro, haciendo malabares con los teléfonos. Tenía un talante cansado y agobiado. Entré y esperé a que terminara sus llamadas, pero en cuanto me vio señaló la oficina de Forman. Yo titubeé un poco, no estaba seguro de qué quería decir, pero volvió a señalarla y sin interrumpir su llamada me dijo con los labios pero sin voz "Pasa". Le agradecí con la mano y me dirigí a la oficina de Forman. La puerta no tenía seguro y la abrí de un empujón.

–¿Hola? –Forman levantó la mirada de su escritorio, con la cara tan cansada y agobiada como la de Stephanie. Su libreta estaba llena de garabatos, oscuros y rayados con fuerza en el papel. Mamá hacía lo mismo cuando no tenía forma de liberar su estrés. Supuse que el nuevo cuerpo debía de estar molestándole mucho.

–John –dijo con voz tensa–. ¿Qué haces aquí?

–¿Qué haces tú aquí? –repliqué–. ¿Ya acabaste con la escena del crimen?

—No, no –dijo, negando con la cabeza–. Todo el departamento sigue por ahí; probablemente pase ahí toda la noche. ¿Me necesitabas para algo?

—Ehh, sí –respondí–, solo no esperaba encontrarte aquí.

—¿Entonces para qué viniste?

Lo miré con extrañeza: esa no era la forma en la que el agente Forman actuaba normalmente.

—Necesito que me cuentes sobre el cuerpo –contesté, sentándome.

—¿Por qué? –preguntó, frunciendo el ceño–. ¿Y por qué te lo diría? No eres un policía.

Seguía agitado, pero mientras hablaba pude ver cómo su pánico se iba derritiendo hasta desaparecer: se enderezó, me miró con mayor severidad, y su voz parecía más profunda. En segundos se había vuelto agudo y asertivo.

—Tal vez tú me puedas ayudar –dijo, recargándose en su respaldo y observándome con escrutinio. Parecía más calmado ahora. Con la mente más clara–. Piensa en algo por mí; nos ayudará a ambos mantenernos ágiles. ¿Por qué mató el Asesino de Clayton?

—¿Crees que esto se trata del Asesino de Clayton? –pregunté–. Nada encaja.

—En absoluto –dijo Forman, mirando sus papeles–, pero creo que están relacionados. Así que dime: ¿por qué el Asesino de Clayton mató?

Esto era Perfiles nivel básico.

—¿Qué tan detallado quieres que sea? –pregunté–. En el nivel más básico, los asesinos seriales matan porque tienen la necesidad de hacerlo, y los asesinatos llenan esa necesidad.

—Está bien… —respondió Forman, todavía mirando sus papeles—. ¿Qué necesitaba el Asesino de Clayton?

—¿Por qué me preguntas eso?

—Para mantenernos ágiles —repitió—. Ya te lo había dicho.

—¿Por qué mantener*nos*? —pregunté—. ¿Por qué sigues diciendo "mantener*nos* ágiles"?

—¿No quieres estarlo? —giró a observar la ventana, como si estuviera mirando a través de las tiras de la cortina metálica—. Eres un joven muy listo —explicó—. Puedes descifrarlo.

Forman parecía completamente diferente cada vez que lo veía: sospechoso o relajado, o nervioso, y ahora… ¿qué? ¿Ágil? ¿Qué significa eso, para empezar?

—El Asesino de Clayton tomó partes de los cuerpos —comencé—. Así que supongo, en un nivel básico, que podríamos decir que necesitaba las partes de los cuerpos. Pero usualmente hay más que eso.

—En efecto —murmuró Forman. Todavía estaba mirando a la ventana, pero cerró los ojos como si estuviera meditando.

—La necesidad clásica del asesino serial es el control —continué, observando a Forman cuidadosamente. Ni siquiera estaba seguro de que me estuviera escuchando—. Matar personas y robarles partes del cuerpo pudo ser una forma de ejercer control sobre ellas. Es por eso que muchos asesinos seriales se llevan souvenirs, es su forma de medir el control que tienen sobre la persona incluso después de que muere.

—Y crees que el Asesino de Clayton estaba tratando de controlar a las personas —afirmó.

Era difícil saber qué responder, porque no podía dejar que Forman supiera cuánto sabía yo en realidad. Tenía que pensar como él, lo que significaba que debía pensar solo en las cosas que él sabía y dejar de lado las cosas que no sabía. Él no sabía que el asesino era el señor Crowley; no sabía que Crowley era un demonio y no sabía que el demonio estaba muerto. Hasta donde sabían todos, el Asesino de Clayton podía seguir allá afuera. Salvo porque, caí en la cuenta de pronto, Forman estaba hablando del asesino en pasado.

—Tú crees que el Asesino de Clayton está muerto —afirmé.

Forman se puso de pie, caminó hacia el mapa y comenzó a recorrer con su dedo ciertas carreteras, deteniéndose cada tanto para poner una tachuela o una marca con lápiz. Me estaba ignorando por completo.

—Tú crees que el Asesino de Clayton se ha ido para siempre —repetí elevando mi voz—. Estás hablando de él como si estuviera muerto, sin cuestionártelo. ¿Qué sabes?

—Vas por buen camino —dijo, todavía estudiando el mapa—. Mantente concentrado.

—¿Por qué crees que estas víctimas están relacionadas si estás tan seguro de que el asesino ya está muerto? —me ignoró—. ¿Hay un imitador? ¿Hay un asesino… similar… allá afuera?

Forman dejó de hacer lo que estaba haciendo y se dio vuelta para mirarme.

—¿Un asesino "similar"?

Yo estaba hablando de otro demonio, pero no podía decir eso exactamente.

—Un ladrón de órganos —repuse—. Pero no se llevaron nada de los primeros tres cuerpos. ¿Le faltaba algo a la habitación?

—Demasiadas preguntas, John —respondió, regresando a su mapa. Lo marcó una vez más, cerca de la planta de madera, la localización aproximada del último cuerpo, según lo que había visto en las noticias. Se sentó y sacó un archivo–. Deja de hacer preguntas y empieza a responderme; solo estás confundiendo las cosas.

–Estoy preguntando porque no conozco las respuestas –espeté–. No me estás dando nada.

–Y no te frustres –respondió. Hojeó el archivo.

–¿Solo estás haciendo esto para distraerme? –pregunté–. Estoy aquí porque intento ayudar, no quiero que seas condescendiente conmigo, como si fuera un niño.

–Eres un niño –respondió, mirándome directamente–, y a la única persona a la que quieres ayudar es a ti mismo. Estás obsesionado con la muerte y no puedes esperar a que el cadáver llegue a la funeraria así que quieres que te dé información ahora; por eso estás aquí. No finjas conmigo –traté de pensar en una respuesta, pero me interrumpió–. Aun así todavía puedes ayudarme; te des cuenta o no, solo necesito que te mantengas concentrado. Hay una segunda pregunta para que continúes: ¿por qué el Asesino de Clayton se detuvo?

Estaba jugando de alguna forma conmigo, ¿pero para qué? No podía querer mi opinión del Asesino de Clayton, era un investigador profesional de asesinos seriales con todos los recursos del FBI. Mi opinión no era nada que no pudiera pensar él por su cuenta. Pero entonces ¿por qué tantas preguntas? ¿A dónde me quería llevar? Había atraído su atención una vez; tal vez si seguía hablando podía volver a tenerla y averiguar más.

–Hay dos posibles razones por las que pudo haber parado –dije, ignorando lo que sabía (que yo había matado al asesino) y lanzando pura teoría–: O su necesidad fue saciada, o murió. Pero las necesidades de los asesinos seriales casi nunca se llenan, solo se acumulan y se acumulan hasta que son completamente incontrolables y... el asesino no puede detenerse.

Pensé en el almacén en llamas y en el gato.

–Bien –dijo Forman, hojeando el archivo con atención–. Continúa.

–Hay muchísimos asesinos seriales que funcionan por ciclos –seguí–. Que matan activamente por unos meses y luego desaparecen por meses o incluso años. BTK volvió así, cuando ya todo el mundo había asumido que había desaparecido. Edward Kemper simplemente se entregó un día porque decidió que ya había terminado.

–En efecto –murmuró Forman.

–Pero tú no crees que este se haya detenido por su cuenta –deduje, inclinándome y mirándolo a los ojos en busca de una reacción. Tal vez podía provocar una mejor respuesta si me dirigía a él directamente–. Tú estás bastante seguro, aunque supongo que no al 100%, de que el Asesino de Clayton ya no está. Está muerto. Pero no hay nada de la evidencia que sugiera eso, así que debes saber algo más.

Forman alzó la vista.

–¿Por qué estás tan seguro de saber con qué evidencia cuento? –sus ojos eran oscuros, pero de alguna forma brillantes y vivos. Quería mantenerse "ágil". ¿A eso se refería? Me sentía como si estuviera en un duelo con él, mente con mente, y cada vez que pensaba que tenía la sartén por el mango estaba ahí para bloquearme, tan rápido como yo.

Tan ágil como yo.

Tenía su atención ahora; era momento de presionar con el ataque.

–Estuve justo en medio de la última escena del crimen –respondí–. Vi todo, y no hay nada que sugiera que hubiera acabado de matar. Por el contrario, el hecho de que no se robó nada del doctor Neblin sugiere que dejó algo incompleto. Volvería a matar solo para tener la sensación de cierre –los ojos negros de Forman se clavaron en mí, y yo le sostuve la mirada mientras continuaba–. Dices que las nuevas víctimas están conectadas, ¿pero por qué? ¿Por qué asumirías que hay una conexión?

–Lamento decírtelo –respondió Forman–, pero vives en un pueblo muy pequeño. Es bastante improbable que tengan dos asesinos seriales sin ningún tipo de relación, justo uno después del otro, en un lugar como este.

Su atención ya no estaba centrada en lo que sea que hubiera estado; ahora estaba completamente centrado en mí. Aparentemente, mi deseo de confrontación lo había contagiado, y ahora era su turno de revirar el ataque.

Esto era para lo que había construido todo lo demás: ahora estaba interesado y estaba hablando. Así como él había hecho conmigo, le di una pregunta para dirigir sus pensamientos.

–¿Y cuál podría ser esa relación?

–La única relación lógica –afirmó–. Se cruzaron. Se conocieron, se vieron reflejados uno en el otro y solo uno sobrevivió; tal vez era una cosa territorial, tal vez fue una coincidencia, tal vez fue algo más. Mi trabajo es averiguarlo.

Un escalofrío me recorrió todo el cuerpo: me estaba describiendo a mí, aunque de forma tan indirecta que quizá él no era consciente de ello. Estaba más cerca de mi secreto de lo que había pensado. De pronto, mi obsesión con las nuevas víctimas se había convertido en una necesidad desesperada de protegerme. Tenía que saber lo que él sabía, y qué sospechaba sobre este asesino.

–¿Hay alguna evidencia que respalde tu teoría? –pregunté–. ¿O solo estás conjeturando al azar? Los asesinos seriales siguen patrones estrictos, y me parece muy poco probable que el tipo que mataba hombres grandes ahora haya decidido centrarse en mujeres pequeñas.

–El primer asesinato de un asesino serial suele ser accidental –explicó Forman–. Es probable que la presencia del primer asesino haya detonado la psicosis preexistente del segundo y la haya catalizado, haciendo que ambos entraran en conflicto. Cuando el polvo se disipó, el primer asesino estaba muerto, pero el segundo ya había nacido y todos los asesinatos subsecuentes fueron planeados y llevados a cabo con mucho más cuidado. Estas últimas víctimas estarían, naturalmente, más en línea con la recién descubierta psicosis del nuevo asesino.

Estaba cerca de vincularme con esto, el perfil era casi una perfecta descripción de mí, aunque no exactamente. ¿Por qué no había hecho la conexión final? Porque había cuatro nuevos cuerpos, y yo no tenía nada que ver con ellos. Pero él llevaba meses en la investigación, y los nuevos cuerpos solo aparecieron para confundirlo hacía unas semanas. Tenía que haber algo más, algo que fuera de hacía meses atrás que lo había hecho descartarme.

Por supuesto.

—Encontraste un quinto cuerpo —adiviné—. O el primero, supongo. Hace meses, tal vez en enero, encontraste otro cuerpo del mismo asesino.

Tenía sentido: habían estado rastreando a ese nuevo asesino desde mucho antes de que yo lo supiera porque llevaban sabiendo de él desde mucho antes que yo.

—De alguna forma lograste escondérselo a todos —continué—. Mantuviste todo en secreto.

El agente Forman sonrió.

—Supongo que te crees muy listo —dijo Forman— adivinando la existencia de otra víctima —abrió una de las gavetas de su archivero—. Uniste todas las piezas y se te ocurrió eso. Muy interesante. Cualquier otra persona habría llegado a una conclusión muy diferente —sacó una pistola de la gaveta abierta y la puso, muy gentilmente, sobre la mesa—. Ya hemos establecido que el Asesino de Clayton está muerto, así que la mayoría de las personas en tu situación habría adivinado que el otro cuerpo que encontramos fue el cadáver del Asesino de Clayton… pero a ti no se te ocurrió en lo absoluto. ¿Por qué, John?

Piensa rápido. Dirígelo a cualquier otro lado que no sea a ti.

—Porque si hubieras encontrado al Asesino de Clayton le habrías dicho a todo el mundo —respondí, manteniendo mi respiración lenta y constante—. Fue una noticia nacional; el país entero estaba conteniendo el aliento esperando a que tú lo detuvieras. Si hubieras encontrado su cuerpo, no lo habrías mantenido tan oculto.

—Lo que pasa con los sociópatas —dijo Forman—, es que aunque carecen de muchas emociones y especialmente de culpa, una en la que son muy buenos es en el miedo. No solo lo causan, también lo sienten intensamente. Guía sus vidas. Dime, John: justo ahora que te dije que estaba tras la pista de un segundo asesino, ¿por qué sentiste miedo?

¿Cómo sabía lo que estaba sintiendo? Ni siquiera mi mamá sabía leerme tan bien.

–Cualquiera sentiría miedo –espeté–. El último asesino casi me mata, tiene sentido que me preocupe un poco por el nuevo.

–Pero no tenías miedo cuando hablábamos sobre la *existencia* de uno nuevo –dijo Forman, con un tono de voz tranquilo–. Lo que te dio miedo fue que habláramos de *atrapar* a uno nuevo. Más específicamente, te dio miedo cuando hablamos del nuevo matando al viejo. ¿Hay algo que quieras decirme?

Mi mente daba vueltas a toda velocidad barajando las posibilidades, intentando resolver esto. No había forma de que él pudiera leerme con tanta precisión. Había pasado toda mi vida aprendiendo cómo leer a la gente, cómo deducir sus emociones a partir de señales visuales, dada mi incapacidad para conectar con ellas directamente, e incluso yo hubiera tenido dificultades detectando la débil expresión de miedo de un sociópata entrenado y poco emotivo. Y sin embargo lo había hecho.

Me había puesto una trampa, y podía sentir cómo se cerraba; no tenía ninguna prueba de que yo hubiera matado al Asesino de Clayton, pero había olido una pista y estaba dispuesto a seguirla como un sabueso. No esperaba una trampa de Forman, era demasiado abierto, demasiado directo. Había mostrado los dos últimos cuerpos en las noticias casi tan pronto como habían sido encontrados; e incluso le dijo al reportero que él pensaba que estaba conectado con el

Asesino de Clayton mucho antes de cualquier tipo de estudio significativo. Estas no eran las acciones de un hombre sutil. Y sin embargo aquí estaba, de pie con una pistola mientras yo trataba de luchar por salir de una trampa que no había visto.

Me forcé a calmarme y a pensarlo bien, en un duelo de miradas, con la mano en su pistola. No tenía sentido que hubiera sutileza en algunos de sus planes pero no en todos, tendría que haber sido todo o nada. ¿Por qué revelaría algo que pudiera hacer que el asesino se escondiera? La única explicación posible es que creyera que al anunciarlo el otro asesino saldría flote.

–Usaste los cuerpos como carnada –dije.

–¿Carnada? –sus ojos negros se volvieron más intensos.

–Le dijiste al reportero que los nuevos cuerpos estaban conectados a los viejos, sabiendo que esa sugerencia iba a sacudir al nuevo asesino y con suerte hacer que se expusiera. Toda la investigación ha sido una trampa.

–Una que te atrapó, aparentemente –respondió–. Solo no esperaba que vinieras directo a mi oficina.

–Si todo tu caso está fundado en el solo hecho de que vine a verte en un mal momento, vas a tener bastante dificultad en probarlo en la corte.

Levantó la punta de la pistola, solo un poco, de donde descansaba en la mesa.

–¿Me veo como alguien que necesita probarlo en la corte?

–¿Estás amenazándome con dispararme en una estación de policía?

–No hay necesidad de apresurarse –dijo fríamente–. Te puedo disparar en cualquier lugar.

Sus manos estaban rígidas, sus ojos apenas parpadeaban y su rostro era tan duro como el granito. Este era un territorio nuevo para mí; había pasado meses en las inmediaciones de un asesino, pero él nunca, hasta último momento, había sabido quién era yo. Siempre había estado seguro. El hecho de que Forman me estuviera vigilando ahora, amenazando mi vida cara a cara, era una situación completamente distinta. Incluso si no me disparaba, estaba convencido de que yo era culpable, y podía pasar el resto de mi vida en la corte o en prisión por eso.

O escapando. Si lograba salir del edificio sin que me disparara, podría huir y nunca volver.

Pero no, Forman estaba demasiado cerca; era demasiado listo para usar su pistola. Tenía total control de la situación y yo no podía hacer nada. Y saberme impotente me hacía sentir profundamente enojado.

—Debes ser el peor agente de FBI del mundo entero —afirmé—. Del mundo entero. ¿Vas a dispararle a cada chico que llegue aquí a retarte? Sin resolver el crimen, sin el debido proceso, sin hacer siquiera las preguntas adecuadas, solo extraes el arma cada vez que tu mágico detector de miedo se prende y empiezas a amenazar a las personas. Vaya trabajo de detective, chico listo.

Forman alzó la pistola y apuntó directo hacia mi rostro; el cañón estaba a menos de sesenta centímetros de mi cara.

—Escucha, pequeño enfermo mental: esto no es sobre el FBI, y no es sobre un asesino serial, ni siquiera es sobre dos asesinos seriales. Estoy investigando algo muy importante, y tú apareces con suficiente frecuencia como para que piense que sabes más de lo que me estás diciendo. Así que, ¿por qué mierda no dejas de jugar al tipo rudo y me dices lo que sabes?

–¿*Yo* estoy jugando al tipo rudo? –pregunté–. ¿Olvidas la parte en la que estás apuntando a un chico de 16 años que está desarmado?

–¿Qué es lo que sabes? –demandó.

–Sé que he sido amenazado por cosas mucho más terroríficas que tú –respondí–. Si crees que este "tiro al aire" va a asustarme…

–¿A qué te refieres con "cosas"? –preguntó.

–¿Qué cosas?

–Acabas de decir "cosas" –repitió–, has sido amenazado por "cosas" mucho más terroríficas que yo. No "personas".

–¿Crees que lo único que hay son "personas"? –pregunté–. ¿Tienes alguna idea de qué hay allá afuera? Cosas que te sacudirían por completo…

Sus ojos estaban abiertos. Sorprendidos, sí, pero no confundidos ni en estado de shock. No era la mirada de un hombre que hubiera encontrado un monstruo bajo su cama… estaba demasiado sereno. Demasiado familiarizado. El agente Forman tenía la cara de un hombre que esperaba encontrar un monstruo debajo de su cama, y en vez de eso lo había encontrado en el clóset.

Quería impresionarlo hablando del demonio, pero de alguna forma el agente Forman sabía exactamente qué estaba diciendo.

Podía ver cómo estaba pensando: la forma en la que fruncía los labios; la forma en la que sus ojos se movían rápidamente de un punto a otro, buscando algo. Yo hice lo mismo, buscando un punto de apoyo mental. ¿Realmente sabía sobre el demonio? ¿Cómo?

Había dicho que estaba investigando algo muy importante, algo que no se relacionaba con el FBI. Su vida entera podía ser una cubierta, fingiendo que buscaba asesinos seriales mientras en secreto trataba de rastrear un demonio. O demonios… Hasta donde sabía, bien podía cazarlos de forma profesional. Lo que sea que fuera, sabía sobre el demonio, y por la mirada de asombro en su rostro, sabía que yo sabía. ¿Debía correr? ¿O debía fingir desconocimiento? ¿Qué haría a continuación?

Nos quedamos mirándonos el uno al otro, congelados en un lugar, cada uno casi desafiando al otro para que diera el primer paso. Su arma nunca vaciló. Después de un largo rato abrió su boca para hablar.

—¿Makhai? —era una antigua palabra, pesada, llena de polvo y edad e insondable tristeza. Me quedé observándolo, inexpresivo y cauteloso. Sus ojos se volvieron más oscuros y su rostro se endureció—. Entonces está muerto —dijo Forman. Sus palabras eran definitivas, como el pronunciamiento de un médico, hecho no ante una persona sino ante el mundo entero. Que se supiera hasta los confines de la Tierra que un hombre había muerto.

Se quedó mirando fijamente a la nada, no a mí o a través de mí, sino más allá, como si todo lo existente hubiera dejado de existir. Después de esperar una eternidad, sus ojos se volvieron a centrar en mí.

—Temíamos que estuviera muerto —continuó—, pero yo no lo creía. Me vas a contar todo.

Pero luego sonrió, y no se me podía ocurrir nada que estuviera más fuera de lugar.

No tenía sentido, pero podía ver en su rostro que estaba feliz. Su cara estaba más luminosa ahora, sus ojos más abiertos, una sonrisa había aparecido en su boca. Su cuerpo entero estaba suelto y relajado. Era como si alguien hubiera prendido un interruptor: en un momento estaba sombrío, cargando sobre sus hombros el peso del mundo, y al momento siguiente estaba luminoso y alegre.

–¿Estás… feliz? –pregunté.

–Feliz como nadie, John –respondió, mostrando una amplia sonrisa–. Odio cuando esto pasa.

–¿Odias estar feliz?

–Feliz, triste, lo que sea –dijo. Se paró y caminó hacia la puerta, pasando a mi lado–. No es el sentimiento, es la imposición. No tengo tiempo para esto ahora.

Abrió la puerta y llamó a Stephanie.

–¿Stephanie?

–¿Sí, señor Forman?

–¿No ha vuelto nadie?

–No, solo estamos nosotros tres –respondió–. Oigan, tengo grandes noticias…

–Supuse que las tendrías… –la interrumpió–. ¿Por qué no vienes y nos las compartes?

–¡Bien! –gritó. Se escuchó el movimiento de su silla, seguido del ruido de los tacones recorriendo la habitación. Entró a la oficina, sonriendo de oreja a oreja, con las palabras saliéndole de la boca en una inundación de júbilo–. Acabo de hablar con mi novio por teléfono y…

Forman lanzó su arma como un garrote, golpeándola en el rostro. Se escuchó un crujido repugnante, probablemente le había roto la nariz. Stephanie se tambaleó hacia atrás hasta chocar contra la puerta abierta, con el llanto cortado por un gorgoteo de sangre que le salía de la garganta, y Forman le volvió a pegar, esta vez a un lado de la cabeza. Stephanie tenía los ojos abiertos, demasiado sorprendida como para estar asustada.

–¿Te gusta eso? –preguntó, mirándola tambalearse de lado, intentando guardar el equilibrio–. Hay personas intentando trabajar aquí –le volvió a pegar–, y no podemos hacerlo –otro golpe– con la pequeña alegre Stephanie allá afuera condenadamente *feliz* todo el tiempo –volvió a golpearla en la nuca, una vez más, tirándola al suelo. La miré en shock, luego me quedé mirándolo a él.

»Vaya defensa más valiente la tuya –dijo, regresando a su escritorio–. Stephanie está eternamente agradecida por la forma en la que me detuviste para que no siguiera golpeándola hasta dejarla inconsciente.

–¿Quién eres? –pregunté.

–Eso es –respondió, levantando su taza de café–. Descífralo. Mantente ágil.

Llevó la taza a donde estaba el cuerpo de Stephanie, la rodó con su pie y examinó la alfombra en busca de sangre. Le estaba sangrando la nariz, y tenía sangre en el pelo que posiblemente provenía de una herida hecha con el cañón de la pistola. Estaba respirando, pero inconsciente. Forman limpió una mancha de sangre de la alfombra con la manga de su camisa, luego vertió café ahí.

–Lección número uno –dijo–. En un pequeño pueblo basurero como este no vas a tener a un equipo de CSI revisando el lugar con un peine de dientes finos. Ellos verán café derramado, pensarán en café derramado, y yo estaré de vuelta para limpiarlo mañana. Ahora levántala.

–¿Por qué?

–Porque nos vamos a casa –respondió Forman–. Considéralo un trato: yo te enseño mis juguetes, y tú me dices cómo mataste a un dios.

CAPÍTULO 15

o encontré –dijo Forman, con su celular en el oído mientras conducía. Yo estaba a su lado; Stephanie, todavía inconsciente, estaba recostada en la parte de atrás.

–No, él no –respondió Forman–, la persona que lo mató. Lo sé, lo sé, tenías razón. Bueno, esa es la parte que no vas a creer: es solo un chico. Humano. No, no tengo idea, pero lo voy a averiguar. Te llamo.

Forman colgó y guardó el celular en el bolsillo de su camisa. La pistola estaba en el bolsillo de su chaqueta, del otro lado de donde estaba yo. Nos encontrábamos casi en el límite del pueblo, y no sabía a dónde íbamos después de eso; estaba aterrorizado, pero más que eso, estaba confundido.

¿Acababa de decir que Crowley era un dios?

Podría haberme echado a correr cuando estábamos por subirnos al coche, pero necesitaba saber lo que él sabía. Forman tenía todas las respuestas que yo estaba buscando, y estaba dispuesto a hacer lo que fuera necesario para conseguirlas.

–¿Quién era? –pregunté.

–Nadie –respondió Forman, y se rio–. Ahora, ¿por dónde empezamos? Realmente no tengo idea. Supongo que la primera pregunta es: ¿cómo lo hiciste?

–¿Cómo hice qué?

–No te hagas el tonto –respondió–. Lo mataste. Joder, yo ni siquiera sé de quién se trataba. ¿Quién era?

–¿Quién era… quién?

No quería hacerme el tonto, pero no sabía qué más decir. Estaba acusándome de matar al señor Crowley, eso era claro, y parecía saber qué clase de ser sobrenatural era. Después de eso empecé a perderme. ¿Y con quién estaba hablando por teléfono?

–Makhai –dijo, golpeando enfáticamente el volante–. El dios que mataste, el Asesino de Clayton. Sabes de él y no estás muerto… Eso significa que él está muerto, lo que significa que probablemente tú lo mataste.

–Me atacó –respondí–. Intentó matarme. Yo no…

–¿Qué cuerpo tomó? –preguntó Forman–. Probablemente pensaste que era alguien de tu comunidad, quizá incluso alguien que tú conocías. Quizá incluso estaba en el cuerpo de Bill Crowley cuando tú lo viste.

Ajá. Forman sabía menos de la historia de lo que yo pensaba. Él creía que el demonio había entrado en el cuerpo de Crowley al final, después de matar a Neblin, lo que significaba que su versión de la historia estaba incompleta. Me aferré a su falta de conocimiento como una tabla de salvación: si yo sabía algo que él no, eso me daba poder; no mucho, pero era algo. No tenía sentido decirle más de lo estrictamente necesario.

–Era un demonio –contesté–. Tenía grandes garras y dientes realmente filosos, muchos, muchos más de lo que tenía sentido que tuviera. Y grandes ojos, como platos, que brillaban en la oscuridad –no dije nada sobre el señor Crowley.

Pasamos por debajo de un farol, y vi a Forman sonreír antes de que la luz se quedara detrás de nosotros y el coche se sumergiera una vez más en la oscuridad. Ya estábamos fuera de Clayton, en la carretera que iba hacia el bosque, y mientras mis ojos se acostumbraban a la oscuridad vi su rostro iluminarse por las inquietantes luces rojas del tablero. Su sonrisa era oscura y salvaje.

–Makhai –repitió.

–¿Dices que era... un dios?

–Comparado contigo, sin duda alguna –aseguró Forman–. Cuando tus ancestros se arrastraban fuera del lodo y aullaban en la oscuridad era él quien les contestaba, grande y terrible.

Lo observé en silencio. Bajo la tenue luz roja, los ojos de Forman se iluminaban con un entusiasmo aterrador.

–Todos éramos dioses en ese entonces –continuó–, o al menos era como la gente nos llamaba. Makhai era el Dios de la muerte para algunos, la venganza para otros; incluso el Dios de las caras de un reino a las orillas del Nilo. Pero las cosas cambian con el tiempo, la gloria se desvanece. Eso es lo que nos mató al final: el tiempo.

Dijo "nosotros". Yo había asumido que era una especie de cazador, o tal vez un adorador, pero... ¿era otro demonio, como Crowley?

–Estás asustado de nuevo –afirmó, mirándome de reojo–. También Stephanie, pero no de mí. No directamente. De un reflejo de mí, tal vez, en algún lugar al fondo de su mente. La pesadilla de mí que ve mientras duerme. Te lo aseguro –dijo, mirándome otra vez–. La realidad es mucho peor.

Se giró para mirar la carretera, sujetó el volante con más fuerza, presionó el acelerador hasta el fondo, y de repente íbamos a toda velocidad, con el motor rugiendo en protesta. Con las luces del coche brillando, los árboles a la orilla de la carretera se desdibujaban en una pared blanca, y me aferré al brazo del asiento con fuerza.

Forman gritó con euforia.

–¡Nunca puedo hacer esto! –gritó. Dimos una vuelta muy rápida, con el coche derrapando hacia un lado y casi saliéndose de la carretera–. La mayoría de las personas que se suben a mi coche creen que soy un agente del gobierno, así que no puedo hacer esto frente a ellos. Y, por supuesto, todas las otras personas que se suben a mi coche están inconscientes, como ella.

Se rio y dio otra vuelta, girando con fuerza esta vez hacia la izquierda. Podía sentir cómo las llantas rechinaban mientras perdían y recuperaban el agarre en el asfalto. No había forma de que pudiéramos sobrevivir a esto, o al menos yo no. Forman, si realmente era otro demonio, podría regenerarse y salir caminando como si no fuera nada.

Gritó otra vez, medio riendo y medio gritando.

–¡Me encanta! ¡Me encanta!

–¡Vas a matarnos! –grité, sujetándome fuerte con ambas manos.

–¡Así es! –gritó, casi como un chillido. Ahora parecía tan aterrorizado como yo, pero no disminuyó la velocidad. La carretera era una estrecha franja de blanco; cada curva y cada subida se hacía visible bajo la luz de los faros tan solo unos segundos antes de que pasáramos disparados sobre ella y hacia lo desconocido.

—Ya casi llegamos a casa —anunció, apretando los dientes mientras nos abríamos paso entre los árboles—. Ya casi llegamos. Mis juguetes nos van a escuchar, y van a agitar sus cadenas. Aquí están.

Dimos una vuelta más y pisó el freno, haciendo que el coche se inclinara violentamente. Una vieja casa apareció a la vista, escondida en un claro entre los árboles. El coche se deslizó a través de la tierra y la grava, casi volcándose, y se estrelló contra un par de botes de basura emitiendo un iracundo sonido metálico. El cuerpo de Stephanie salió volando del asiento y chocó contra nuestro respaldo antes de golpearse contra el suelo. Las bolsas de aire delanteras explotaron con un sonido de disparo, atajando mi cabeza con la fuerza de un puñetazo. Le pegamos a otro de los botes de basura, aplastándolo contra un lado de la casa, y de repente, todo estaba quieto.

Forman estaba cacareando como un maniaco, con ruidosas carcajadas que degeneraban rápidamente en sollozos de terror. Sentía que apenas podía pensar, mi cerebro estaba revuelto por el choque, haciendo que fuera más difícil saber dónde estaba o qué estaba pasando, pero incluso las cosas que veía claramente me parecían imposibles y pesadillescas. ¿Por qué estaba riéndose? ¿Por qué estaba llorando? ¿Por qué no tenía sentido nada de lo que decía? Mi respiración era rápida y superficial, y estaba desesperado por irme. Forcejeé con la puerta y finalmente logré abrirla, dando bocanadas profundas de aire mientras luchaba con mi cinturón de seguridad. En ese momento me parecía un objeto desconocido, imposible, como si nunca antes hubiera usado uno. El cuerpo de Forman se retorcía y sacudía en lágrimas. Finalmente encontré el pestillo y me desabroché, cayendo fuera del coche antes de que el cinturón pudiera retraerse. Se aferró a mí como la tela de una araña, y yo me sacudí desesperado.

Me había liberado. El coche estaba paralelo a la casa, con los faros prendidos iluminando la carretera y los árboles del otro lado. No sabía cuánto tiempo había conducido o qué tan lejos estábamos de Clayton o de otro ser vivo, pero sabía en qué dirección veníamos. El aire era frío y cortante y me punzaba como agujas de hielo en la piel sudorosa. Me armé de valor y corrí hacia el camino de grava; avancé unos cuantos pasos dando tumbos cuando de pronto la tierra se levantó frente a mí y escuché el crujido fuerte de una pistola detrás de mí. Seguí corriendo y sucedió nuevamente: una explosión de tierra, una chispa brillante en el asfalto de la carretera, y el sonido de un disparo detrás de mí.

–¡Deja de correr!

Estaba en la orilla de la carretera, lejos de un lugar donde cubrirme y sin tener hacia dónde correr. A esta distancia probablemente no me daría con mucha precisión, pero tenía tiempo para dar cuatro o cinco buenos disparos antes de que yo pudiera llegar a los árboles, lo que ponía las probabilidades a su favor. Me detuve y levanté las manos.

–No levantes las manos, esto no es un asalto –bajé los brazos y me giré hacia él lentamente. Forman estaba parado al lado de la puerta abierta del pasajero, apuntándome con la pistola–. Vuelve aquí y ayúdame a cargarla y llevarla hacia adentro.

De alguna manera había recuperado el control. ¿Qué estaba pasando? Mi curiosidad venció al miedo, y regresé lentamente. Tenía que descubrir qué era Forman y qué significaba todo esto. Cuando llegué al coche abrí la puerta trasera y me incliné para mirar a Stephanie. Puse una mano cerca de su rostro, como hacíamos con los cadáveres en la morgue; sus respiraciones eran débiles pero cálidas. Seguía viva.

–Solo agárrala de los pies y arrástrala –dijo Forman secamente. Yo fui más lento, la tomé de debajo de los brazos y la enderecé para que se sentara antes de bajarla del coche. Forman apagó el motor y las luces de los faros y me llevó a la puerta principal; no había porche, solo un paso estrecho de madera. Abrió la puerta y yo lo seguí, recostando el cuerpo de Stephanie gentilmente en un sofá viejo y raído.

Forman encendió una lámpara y se sentó en una silla hundida, tranquilo y satisfecho.

–¿Qué quieres hacer con ella? –preguntó.

–Tú eres el que la trajo –respondí. Posiblemente se había roto la nariz; tenía la boca y el cuello cubiertos con una mancha de sangre seca.

–No seas idiota –dijo Forman–. Tienes una chica guapa en medio de la nada, muestra un poco de imaginación. Considéralo un regalo de mi parte.

La casa estaba prácticamente sin decorar; parecía como si hubiera comprado el lugar semiamueblado, y nunca se hubiera molestado en poner nada más.

–¿Cuánto tiempo llevas viviendo aquí? –pregunté.

–Tres meses –respondió, sacudiendo la cabeza–. Pero no me cambies el tema.

–No la voy a lastimar –dije.

–Claro que sí –afirmó Forman, inclinándose hacia delante–. Quieres lastimar a todos los demás, ¿por qué ella sería diferente?

–No voy a lastimarla porque tú quieras que lo haga.

–Pero sí lastimaste a mi amigo –espetó–. Lo mataste, a un ser hecho prácticamente de poder, y lo mataste. ¿Cómo lo hiciste?

Lo miré, aún inseguro de revelarle lo que había sucedido. Nunca sabes qué clase de conocimiento puede ser útil, y en qué momento.

–Tú eres uno de ellos, ¿cierto?

–¿Otro dios? –preguntó Forman sonriendo ligeramente.

–Yo los llamo demonios –dije–. Supongo que mi visión de él es más oscura que la tuya.

–Ya hemos sido llamados demonios antes –respondió Forman–. Sombras, fantasmas, hombres lobo. Incluso asesinos seriales, aunque solo por reputación. Las personas como nosotros podemos ser lo que queramos, igual que ella –señaló a Stephanie, que yacía inerte en el sofá.

–¿Stephanie también es un demonio?

–Por supuesto que no –contestó, parándose y caminando hacia ella–. Por su cuenta no posee poder alguno, no más que cualquiera de ustedes, pero con nuestra ayuda, ahh, puede ser lo que queramos que sea. ¿Quieres una esclava? ¿Quieres una amante? ¿Quieres una presa para cazarla? Ella puede serlo.

Se inclinó hacia ella y le arrancó un mechón de pelo, sin gentileza pero casualmente, como si estuviera de compras.

–Nunca subestimes el poder de la tortura –dijo–, es una herramienta realmente asombrosa. No para obtener la verdad, claro. Cuando quieres información tienes que usar otros medios, que es la razón por la que en este momento no te estoy torturando a ti. Pero lo que obtienes con la tortura, que no puedes obtener por otro medio, es maleabilidad, total y absoluta. Así que dime, ¿qué quieres que sea?

Forman *era* un demonio, aunque hasta el momento no había visto ninguna transformación demoniaca. Yo también podía preguntar.

–¿Tú también robas cuerpos?

–Robé dos anoche –dijo–. Contando el tuyo.

–No, quiero decir como el demonio que yo maté. Decías que podía tomar cuerpos, y verse como alguien que yo conocía. ¿Tú también puedes hacer eso?

–Sería un mundo muy aburrido si cada dios fuera igual. Claro, podrías rezarnos a todos cuando quisieras robar un cuerpo, pero luego… ¿a quién buscarías cuando quisieras algo más? –preguntó Forman, mirándome.

–No creo que nunca haya habido un dios patrono del robo de cuerpos –repliqué.

–Estás ignorando mis preguntas, así que yo estoy evadiendo las tuyas.

–No te voy a decir nada a menos que obtenga algo a cambio.

–¡Pero te estoy dando exactamente lo que siempre quisiste! –exclamó–. Tu propia víctima, inconsciente y lista para jugar cualquier juego que quieras. No es una Barbie, te concedo eso, pero en cuanto a muñecas se refiere, definitivamente es atractiva, y hay más de un hombre en este pueblo que daría su ojo izquierdo por tenerla en esta situación –no dije nada–. Tal vez tus gustos son otros –continuó, examinándome cuidadosamente–. ¿Qué es lo que quieres? –me preguntó–. Podríamos limpiar la mesa de la cocina y acostarla allí para realizar nuestro propio embalsamamiento, aquí mismo. ¿Eso te gustaría, John?

Quería hacerlo, no sabes cuánto quería hacerlo. De cualquier modo iba a matarme, supuse, pero si le seguía el juego, ¿podía postergarlo? ¿Podía ganar tiempo para escapar si torturaba a Stephanie? Estaba en una situación sin repercusiones en más de un sentido: pronto iba a estar muerto o a convertirme en un eterno prisionero, así que nada de lo que hiciera en esta casa iba a salir de ella.

Y Stephanie era hermosa, con el pelo largo y la piel pálida, como Brooke. Podía llevar a cabo tantos sueños.

Quería hacerlo, pero no lo iba a hacer. Lo que sea que fuera Forman, yo era más fuerte. Cualesquiera que fueran sus planes, yo los iba a bloquear. Si quería que yo lastimara a esta chica, por cualquier retorcida razón, mi misión sería mantenerla a salvo.

–No voy a hacer nada –dije–. No soy como tú.

–No, no lo eres –respondió–, pero te sorprenderías si supieras qué tanto nos parecemos.

–¿Qué vas a hacer conmigo? –pregunté.

–No estoy seguro –dijo Forman–. ¿Aceptas responder mis preguntas?

–¿Sobre el demonio que maté? –pregunté–. Ni una sola palabra.

–Entonces estarás bien aquí, por ahora –dijo, caminando a un clóset. La puerta tenía un candado, lo abrió e hizo un gesto para que me metiera. No me moví, y volvió a hacer el gesto más severamente.

–No juegues con mi paciencia, John. Mataste a alguien muy importante para mí, y no estoy precisamente contento contigo. Pero da la casualidad de que te encuentro interesante, y te sugiero que hagas todo lo posible para no poner eso en peligro.

Titubeé un momento más, apenas lo suficiente como para que él levantara su pistola y entonces me metí al clóset. Forman sonrió y cerró la puerta, y escuché cómo volvía a poner el pesado candado del otro lado.

–Te veo en la mañana –dijo, dándole unos golpecitos a la puerta–. Por ahora, ya que no quisiste a Stephanie, la tendré toda para mí.

Escuché sus pasos, seguido de un gruñido o dos, y asumí que estaba levantando el cuerpo de Stephanie. Luego escuché más pasos, lentos y pesados esta vez, caminando por donde yo estaba y hacia otra habitación. Primero eran pasos suaves en la alfombra, luego pasos estridentes en algo duro, como linóleo, luego suaves otra vez cuando llegó a otro suelo alfombrado. Se escuchó un fuerte golpe que hizo temblar el suelo seguido de un ruido lejano.

Probé la puerta, pero no tenía una manija interior, y el candado de afuera la mantenía firme. Recorrí los bordes con los dedos, buscando un hueco o un agujero o… no sé. Algo. Estaba atrapado en una casa con un loco –un demonio loco–, que me había arropado con un cuento sobre qué tan divertido era torturar. Este no era un lugar donde quisiera quedarme, pero la puerta no me daba con qué planear mi huida. Estaría atrapado, al menos esta noche.

Recorrí los bordes del clóset con las manos y encontré cortes profundos en las paredes de yeso. Algunos de ellos eran pequeños, del tamaño de un dedo, como si alguien hubiera tratado de salir excavando, mientras que otros eran largos e irregulares, como si alguien hubiera arrancado partes tratando de escapar. La pared detrás de la placa de yeso estaba reforzada con madera, como si hubiera reforzado las paredes para hacerlas más resistentes. Examiné otra pared que no tenía ningún hoyo grande, pero cuando sentí que había más madera me rendí. Era como si hubiera rediseñado la casa específicamente para que la gente no pudiera escaparse.

Probablemente podía romper los paneles de madera, o la puerta, si fuera el caso, pero eso sería ruidoso y destructivo, y a Forman no le gustaría. Por razones obvias, no me sentía con ganas de llevarle la contra en este momento.

¿Pero cuáles era mis alternativas? ¿Esperar a que él viniera? ¿Qué iba a hacer? Incluso si escapaba, ¿a dónde iría? Él sabía dónde vivía, y obviamente estaba dispuesto a violar la ley cuando le convenía. Y todavía no sabía qué tipo de poder demoniaco podía tener.

Fue ahí cuando escuché el primer grito.

Eran gritos lejanos, amortiguados por la distancia, las paredes y las puertas, pero podía escucharlos lo suficientemente bien. Uno sonaba como "¿Por qué haces esto?" y otro como "¡Yo no hice nada!". Después de eso, eran principalmente llantos inarticulados.

Una parte de mí quería darle la espalda a todo esto, taparse los oídos y pretender que no escuchaba, pero no lo hice. Escuché cuidadosamente, tratando de captar cada palabra, imaginando el escenario en mi cabeza. Podía suponer que el cuerpo torturado que había visto en la funeraria era uno de los "juguetes" de Forman y él era el segundo asesino de nuestra conversación anterior. Eso significaba que había visto su trabajo antes, y sabía qué le estaba haciendo a Stephanie. Los gritos agudos probablemente eran por el fuego; los gruñidos bajos probablemente provenían de golpes y puñaladas. Sabía lo que cada sonido significaba, y hubiera podido intentar bloquearlos, pero era más fácil simplemente hacer que me dejaran de importar. Como tantas noches en mi habitación cuando era niño, que me había acurrucado en la oscuridad y me había apagado.

Después de un rato se unió a los gritos de Stephanie una segunda voz, una voz de hombre. La de Forman. Era un sonido horrible: le estaba gritando a ella, pero también estaba gritando con ella en algún terror compartido. El miedo en las dos voces fue creciendo exponencialmente hasta que una puerta distante se azotó y una voz que gritaba y lloraba bajó por el pasillo y pasó delante de mí hasta la puerta principal. Los pasos eran duros y rápidos, desesperados por salir de la casa. Escuché el candado de afuera agitarse, luego otra vez, luego un golpe fuerte en la puerta principal, luego el sonido del candado que por fin se abrió con estrépito. Los pasos corrieron hacia fuera, y la voz de Forman aulló un grito tan primitivo que sentí un escalofrío al escucharlo. Duró varios segundos y luego se apagó, sin ningún ruido más que el viento en los árboles y la puerta azotándose erráticamente contra la pared.

Los pasos volvieron, lentamente, pero esta vez no se

dirigieron a la habitación del fondo sino directo hacia el clóset donde yo me encontraba. Escuché un gemido, y sentí cómo la madera de la puerta crujía mientras Forman se apoyaba pesadamente en ella.

–Ayúdame, John –suplicó, con la voz tensa. La puerta se agitó mientras apoyaba su cuerpo aún más contra ella–. Ayúdame. Ayúdame.

–¿Qué…? –no sabía qué decir–. ¿Qué pasó?

–Es demasiado –dijo–. Demasiado dolor. Terror. No puedo soportarlo. No puedo soportarlo.

Forman era un monstruo, un demonio, según su propia confesión. ¿Qué podía asustarlo tanto?

–No puedo ayudarte aquí –dije. ¿Podía usar esto para escapar?–. Déjame salir y dime a qué le tienes miedo.

Algo pesado golpeó la puerta. Era su puño.

–¿Forman? ¿Puedes escucharme?

Escuché un jadeo, luego otro, como un hombre ahogándose que finalmente había llegado a la superficie a respirar, desesperado por jalar aire.

–¿Forman? Déjame salir. Puedo ayudarte.

–Ya lo hiciste –respondió. Su voz era firme ahora. Se apoyó en la puerta, haciendo que se apretara contra el marco, luego se puso de pie y la puerta se volvió a aflojar. Escuché el crujido del suelo conforme se iba alejando.

–¿De qué estás hablando? –grité–. ¡Forman!

–Eres una bocanada de aire fresco, John. Te veo en la mañana –concluyó Forman en forma tajante.

Se fue, y la casa se tornó silenciosa. Luego, lentamente el silencio volvió a la vida con sonidos: susurros ahogados, sollozos distantes, y gritos entrecortados que se ahogaban casi tan pronto como aparecían. Las tablas crujían: en el techo, en las paredes, en el suelo… y detrás de todo había una estática de tintineos y rasguños y objetos arrastrándose de algún espacio oscuro bajo el suelo. La casa gritaba; la casa se quejaba; la casa respiraba, temía y odiaba.

Cerré los ojos y soñé con muerte.

CAPITULO 16

Me desperté con el sonido de agua corriendo: una ducha. Rayos de luz se colaban entre las ranuras de la puerta del clóset, débiles, pero casi enceguecedoras para mis ojos cansados. Era temprano. La ducha fue breve, seguida de un puñado de pasos. El crujido de los resortes de la cama. El chasquido metálico de los ganchos deslizándose por la barra del clóset. La casa entera parecía contener el aliento, escuchando. Pronto se oyeron más pasos, que se volvían más fuertes conforme se acercaban, y luego más suaves una vez que pasaron y siguieron su camino. La puerta principal se abrió y se cerró. Un manojo de llaves chocaron entre sí, apagadas por la madera y la distancia. Las cerraduras giraron y los pernos se deslizaron hasta quedar en su lugar.

La puerta del coche se azotó, el motor rugió, y la grava crujió mientras el coche se alejaba. El sonido del motor aumentó para luego desvanecerse hasta desaparecer.

Me forcé a esperar tanto como pude antes de intentar abrir

la puerta, solo para estar seguro de que Forman no planeara regresar y, más aún, de que se había ido en primer lugar y no estaba engañándome y escondiéndose en otra habitación. Me sentía paranoico y enfermo. Los minutos pasaban con una lentitud agonizante. Cuando finalmente me convencí de que estaba seguro, me recargué en la pared trasera del clóset y empujé la puerta con mis pies tan fuerte como pude. No se movió.

Me reacomodé, puse mi pie izquierdo contra el marco de la puerta y lancé una patada con mi pie derecho. Alrededor de la puerta se alcanzaba a ver una tenue línea de luz, y yo calculé mi patada para que aterrizara justo al lado de ella. Ruido sordo. Nada. Pateé una y otra vez, más y más fuerte. La puerta debía estar reforzada, igual que las paredes.

–¿Quién está haciendo eso?

Salté, sorprendido. No esperaba el ruido, pero la voz era suave y distante. Era una mujer. Le contesté.

–¿Stephanie?

–¿Quién es Stephanie? ¿Y quién eres tú?

Quien hablaba estaba en alguna parte de la casa, pero en una esquina lejana de ella, probablemente con la puerta cerrada. Sonaba… enojada.

–Mi nombre es John –grité–. Forman me trajo anoche.

–¿Eras tú con quien estaba jugando?

Jugando. Él había dicho algo de sus "juguetes"; supongo que eso confirmaba que eran personas.

–No –respondí–. Esa era Stephanie. Es la recepcionista de la estación de policía.

–No importa quién sea –contestó la voz–. ¿Por qué estás rompiendo algo? –el tono enojado era más fuerte ahora.

–Estoy encerrado en un clóset –le expliqué a la voz–. Estoy intentando salir de aquí.

–¿Crees que no lo sé? –preguntó–. Lo vas a hacer enojar, y te puedo asegurar que no quieres hacerlo enojar.

Hice una pausa, acordándome de los gritos de Stephanie de anoche. ¿Por qué esta mujer estaba tan enojada conmigo por tratar de escapar?

–¿Eres otra prisionera? –pregunté.

–¿Qué más podría ser?

–Puedo escapar –dije–. Puedo salir, y puedo traer ayuda.

–¡No! –gritó. El enojo estaba ahí, pero se había unido con algo más. Desesperación.

»¿Cómo dijiste que era tu nombre?

–John.

–John, escucha: sé que piensas que puedes salir de aquí, pero no puedes. Todas lo hemos intentado. ¿Crees que solo estamos pasando el rato? Nadie ha podido salir de aquí, y entre más cerca estés de lograrlo, más nos lastima.

Volví a darle una patada a la puerta, fuerte. Se astilló ligeramente en el borde.

–¡John! –gritó la voz, enfurecida–. ¡John, detente!

Pateé otra vez, más lejos del marco para que funcionara como palanca. El golpe dobló la madera.

–¡Vas a hacer que mate a alguien! –gritó–. ¿Crees que no lo hará? Ha matado a cuatro de nosotras en las últimas semanas.

–Janela Willis –grité, volviendo a patear la puerta. Se dobló más–. Y Victoria Chatman. No sé los otros nombres.

–¿Cómo sabes de ellas dos?

–Las dejó para que nosotros las encontráramos –respondí–.

Estaba intentando atraparme –volví a patear y la puerta se astilló hacia afuera, dejando una grieta larga y un agujero–, pero no pretendo quedarme atrapado.

–¡Maldita sea! –gritó. Me incliné hacia adelante y empujé la pieza rota de la puerta con mis manos. El hueco era lo suficientemente amplio como para gatear a través de él, pero no iba a ser cómodo.

–¿Crees que solo lo va a dejar pasar? ¿Crees que no sucederá nada? No va a detenerse cuando termine contigo, ¡se va a desquitar con todas nosotras!

Incliné la cabeza cerca de la entrada, evitando los fragmentos y las astillas de la puerta rota, y miré cuidadosamente la habitación. Era más básica a la luz del día, más sucia y más vacía. Los muebles eran viejos y estaban hundidos, y había un rollo amarillento de tapiz recargado contra la pared de un lado. Saqué un brazo, con cuidado, luego lo usé para hacer fuerza contra la puerta y poder sacar mi cabeza y mis hombros a través del hoyo. La puerta astillada me raspó, pero forcé mi cuerpo y saqué el otro brazo, rojo y crudo a través del agujero destrozado. Con los dos brazos libres saqué mi torso, conteniendo la respiración para hacerme tan pequeño como me era posible. Una vez que mi cadera pasó por el hoyo, mis piernas salieron fácilmente, y rodé hacia mis pies haciendo una mueca. Mi brazo izquierdo y mi espalda estaban sangrando. La voz me estaba gritando, seguida de un coro de lamentos.

–¿Cuántas de ustedes hay? –grité.

–Cuatro en el sótano –respondió la voz–, además de con quien estuviera jugando anoche.

–¿Segura que no hay más? –le pregunté, caminando hacia

la ventana principal y asomándome hacia fuera. Estábamos en medio del bosque. El coche no estaba–. Es una casa muy grande.

–Podemos escuchar cuando trae gente –dijo la voz–, y podemos saber cuándo mata a alguien, porque grita sobre ello por horas. No es difícil mantener la cuenta de quién está vivo y quién está muerto.

Me detuve, a mitad de camino a la cocina.

–¿Por qué grita?

–Porque es un cabrón enfermo –gruñó la voz –. ¿Por qué te importa?

–Porque una vez que salga de aquí, va a salir a buscarme –respondí, entrando a la cocina. Estaba sucia, con platos sobre la mesa y el horno, y las paredes salpicadas de grasa. Faltaba una puerta de la alacena, y una de las dos sillas de la mesa era apenas algo más que un marco de metal alrededor de un cojín hueco hecho jirones.

»La próxima vez que venga por mí quiero estar listo, así que necesito saber cómo funciona.

–No vas a poder escapar –insistió la voz de la mujer.

La casa de Forman era como una versión raída de mis más oscuros sueños. A donde quiera que mirara había signos de aprisionamiento, tortura y muerte: manchas de sangre en las paredes; una larga y gruesa cadena atornillada a la esquina del suelo; rasguños y cortes en cada superficie y una mancha seca de sangre que atravesaba el suelo y llegaba hasta debajo de la despensa. Una olla en la cocina tenía algo oscuro y tibio, lleno de cosas flotantes sin forma que emitía un olor nauseabundo a carne. La ventana de la cocina tenía barrotes. En el pasillo podía escuchar una respiración ronca y dificultosa, y en algún lugar bajo mis pies el sótano zumbaba con las voces desesperadas de los juguetes de Forman.

–John –gritó la mujer–. Por favor, escúchame: si sigues pensando en escapar solo va a ser peor cuando no lo logres. Tienes que creerme. Te estoy diciendo esto por tu propio…

–Ya salí –anuncié–. ¿Cómo llego al sótano?

Silencio. Dejé la cocina amarilla y me sumergí más en la casa, siguiendo el sonido de la respiración.

–¿Hola? –dije–. ¿Pueden escucharme?

Otra mujer gritó desde el sótano.

–¡Ayúdanos!

–¡Silencio! –gritó la primera mujer. Ahora se escuchaban mucho más cerca–. ¿A qué te refieres con que estás fuera?

–Rompí la puerta del clóset y salí –respondí–. Dime cómo encontrarlas.

–¡Estamos en el sótano! –gritó la segunda mujer–. ¡Es la puerta en la cocina!

–¡No se hagan esto a ustedes mismas! –dijo la primera mujer–. Quiero salir de aquí tanto como ustedes, pero no podemos seguir sometiéndonos a la decepción de esta manera. Yo ya no puedo soportarlo.

Volví a la cocina. Solo había una puerta, que había asumido que era la despensa. Tiré de la manija, haciendo que se agitara el marco, pero estaba cerrada con llave. Volví a agitarla. Había un ruido suave del otro lado, a volumen muy bajo. Me apoyé contra la puerta y escuché un sollozo bajo:

–Por favor, por favor, por favor…

Me eché hacia atrás y traté de abrir la puerta de nuevo.

–¿Se lleva la llave consigo?

–¿Cómo voy a saber? –gritó la mujer, evidentemente molesta.

–Está bien –contesté–, solo cálmate. Voy a buscarla.

–¡Apresúrate! –gritó la segunda mujer.

Regresé a la sala y al fondo de la casa, siguiendo la respiración dolorosa. Me llevó a una puerta cerrada, pero esta vez no tenía seguro. La abrí con cuidado, fijándome que no hubiera algún tipo de trampa, pero no pasó nada. Era una habitación pequeña, con un colchón sin sábanas en una esquina en el suelo. El tapiz floreado estaba descolorido y cortado. Abrí más la puerta, entré, y lancé un grito ahogado.

Stephanie estaba colgada contra la pared, con las muñecas atadas con cuerdas gruesas que llevaban a un par de agujeros rasgados en el techo. Le había levantado los brazos y se los había puesto a los lados, lo suficientemente alto como para que no pudiera arrodillarse; estaba ahí colgada, inconsciente, como una cruz torcida. Todavía traía la ropa de ayer, la blusa y la falda que había llevado al trabajo, pero ahora estaban manchadas con sudor y sangre, y un charco de sangre había empapado la alfombra debajo de ella, uniéndose a un círculo de sangre mucho más grande y viejo: ella no era la primera víctima que Forman había colgado ahí. Su cabeza caía hacia delante, sin fuerzas, y su sucio cabello rubio le tapaba el rostro y el pecho, oscureciéndolos. La habitación olía a humo amargo y carne chamuscada.

Entré a la habitación, con la boca abierta de terror. La escena era terrorífica, repulsiva y hermosa. Aquí, en una sola habitación, estaba mucho de mi vida materializada. Todos los sueños que me hacían elegir no dormir, todas mis oscuras fantasías de lo que quería hacerle a las personas. ¿Cuántas veces había imaginado esta escena exactamente con mi madre, para enseñarle que nunca volviera a controlarme? ¿Cuántas veces había traído a Brooke aquí en mi mente, desesperada por que yo la salvara, deseosa de hacer lo que fuera para ganarse mi favor? Había pasado toda mi vida –construida a partir de reglas que restringían mi contacto con los otros– para evitar esta habitación, pero esa misma concentración le había otorgado un lugar preponderante en mi mente, como un triunfo fantasma. Era simultáneamente mi infierno personal y un ideal inalcanzable. Era todo a lo que siempre me había negado, lo que lo hacía, inevitablemente, todo lo que siempre había querido.

La respiración de Stephanie era dolorosa y jadeante: el ángulo antinatural de sus brazos probablemente le constreñía el pecho e impedía el paso del aire a sus pulmones. Aun así, su respiración era regular y uniforme, así que sabía que estaba viva, y el hecho de que todavía no hubiera reaccionado a mi entrada, o a mi conversación a gritos con las mujeres en el sótano, significaba que probablemente estaba dormida. Di un paso al frente para examinarla de cerca. Su blusa era de manga corta y sus brazos estaban cubiertos de marcas rojas, cortes superficiales y quemaduras brillantes e iracundas. Me incliné de lado para verle la cara debajo de la telaraña de pelo. Ronchas púrpuras y golpes ennegrecidos le cubrían la mejilla y el ojo, y su nariz estaba destrozada por el ataque de Forman en la estación de policía.

Cerré mis ojos y recordé sus gritos.

Había un tocador a unos cuantos pasos de distancia cubierto con una serie de herramientas; no la variedad de instrumentos de tortura que ves en las películas de espías, sino una pila desordenada de cuchillos de cocina y herramientas de construcción: destornilladores, pinzas, caimanes y un martillo. Había un alfiletero lleno de agujas. Había una caja de cerillos, un paquete de velas y, extrañamente, una caja de luces de bengala. Tomé un par de pinzas chatas; tenían algo negro e irregular atrapado en los dientes de metal. Las dejé en su lugar y tomé un cuchillo de cocina, con la hoja corta cubierta de sangre seca, por capas y capas, como si hubiera cortado a cientos de víctimas y nunca lo hubiera limpiado.

Stephanie permanecía inmóvil colgada de las muñecas. Completamente inmóvil, como un cadáver. Acerqué el cuchillo al cadáver, con la hoja hacia arriba, como una ofrenda. Tantos sueños…

La grava comenzó a crujir en la entrada exterior y levanté la vista bruscamente.

–¡John! –gritó la mujer de abajo.

Dejé caer el cuchillo y di un paso hacia la puerta, luego me detuve, regresé, tomé otra vez el cuchillo; no sabía exactamente de qué me iba a servir contra un demonio, pero era mejor que nada. Si tenía suerte, podría salir sin tener que confrontarlo en absoluto.

Corrí por la casa, dando pasos ligeros y esperando que el suelo no rechinara. Tenía que haber una puerta trasera. Encontré otra habitación, probablemente de Forman, también sin amueblar pero con un clóset lleno de buenos trajes y camisas blancas limpias. A continuación había un baño, con las baldosas agrietadas y enmohecidas, y más allá había una habitación más, cerrada. No había una puerta trasera. Podía esconderme en una de las otras habitaciones y esperar a que se volviera a ir, pero no, tan pronto como entrara en la casa sabría que había escapado. La puerta rota del clóset iba a ser prácticamente la primera cosa que viera. Sabría que estaba fuera, y me buscaría.

La puerta principal se abrió, un tintineo lejano de cerraduras y llaves, y Forman gritó:

—¿Honestamente creías que podías escapar, John? —guardó silencio un momento, luego volvió a hablar—. Esa era una puerta nueva, John. Voy a tener que cambiarla por una de metal.

Había empezado a hablar desde antes de entrar; sabía que estaba fuera antes de ver la puerta. ¿Cómo?

—¿Confundido, John? Es natural. ¿No te avisaron los juguetes que nadie se escapa?

Me escurrí en silencio a la habitación donde Stephanie seguía colgada e inconsciente. Había una ventana allí; quizá podía abrirla y salir antes de que entrara.

—Ah —dijo Forman—, esperanza. En el trabajo siento mucho de eso, pero desde hace mucho que nadie la sentía aquí —podía escuchar sus pasos, todavía a varias habitaciones de distancia pero acercándose a paso constante—. Si tienes esperanza entonces tienes un plan, pero no estás lo suficientemente enojado para atacarme, lo que significa que planeas escaparte. No hay puerta trasera, y las ventanas obviamente no son una opción. ¿Qué podría ser?

Me deslicé por la puerta a la habitación de Stephanie y miré la ventana: tenía barrotes, igual que la cocina. ¿Acaso toda la casa estaba sellada?

—La desesperación va en aumento —continuó Forman. Su voz cada vez se escuchaba más cerca—. Tu plan no está funcionando, o te estoy asustando; tal vez ambas. En cualquier caso, se te acabaron las opciones.

Si no hubiera estado tan concentrado en la tortura de Stephanie la última vez que había estado allí, habría visto los barrotes en las ventanas, ¿qué más se me había escapado? Giré sobre mis pies en busca de algo que pudiera usar para defenderme. Había un pequeño clóset en la esquina, pero no tenía puerta, y la pila de cajas dentro era muy pequeña para que pudiera esconderme detrás de ella. Podía revisar las gavetas del tocador, pero ya estaba muy cerca e iba a escuchar todo lo que hiciera. Estaba desesperado, buscando cualquier cosa que pudiera encontrar: el colchón era viejo; el único foco que había estaba fundido; la pared posterior era una placa de yeso nueva, todavía sin pintar. Había un...

Había ojos en la pared.

Justo arriba del nivel de mis propios ojos, en la pared de fondo, había un hoyo en la placa de yeso con dos ojos mirándome. Salté hacia atrás, sorprendido, casi tropezando, pero no era Forman, era alguien más... alguien sucio e inmóvil. Me detuve, esperando que los ojos se movieran, que la cabeza se sacudiera o hiciera cualquier signo de movimiento. Los ojos parpadeaban y brillaban: estaban llorando.

Era otra prisionera. Forman había construido una nueva pared alrededor de alguien, dejándole solamente un hoyo para los ojos que apuntaba directamente a su estación de tortura a través de la habitación. La mujer en la pared, muda e inmóvil, había sido forzada a ver todo lo que Forman le había hecho a Stephanie anoche. También había visto lo que yo había hecho en ese lugar.

—Sorpresa —dijo Forman, de pie en la puerta. Tenía la pistola en la mano, apuntando directamente hacia mí–. Impresión. Sientes impresión en la habitación en donde están las dos cosas que más fácilmente podrían impresionarte. De verdad, John, ni siquiera haces que sea divertido.

–¿Quién es ella? –pregunté, apuntando a los ojos.

–Un experimento –respondió Forman–. Una mejora del calabozo, por decirlo así. Un intensificador.

–¿Para intensificar qué?

–Dos víctimas al precio de una –contestó Forman–. Puedo tener efectos similares abajo, por supuesto, pero tener a una que de hecho está atrapada en la pared le agrega un toque distinto de desesperación que no puedo replicar de otra forma. Soy una especie de experto, como te puedes imaginar.

–¿De tortura?

–De emociones, John. La tortura es el método, no el fin.

Emociones. Así es como me había rastreado en la casa, y así es como me había leído con tanta precisión la noche anterior, porque en realidad no me estaba leyendo, literalmente estaba sintiendo lo mismo que yo sentía. Y por eso había estado tan asustado en el coche, porque yo estaba asustado; y por eso estaba tan destrozado después de torturar a Stephanie anoche, porque sentía todo su miedo, y el miedo de la mujer de la pared al mismo tiempo.

–Amanece la comprensión –dijo Forman–. Estás uniendo todos los cabos.

–Sientes lo que nosotros sentimos –respondí.

Forman asintió, sonriendo.

–¿El otro demonio podía hacer eso? ¿Mahai, o como sea que se llame?

–Makhai –corrigió Forman–. Y no, no podía, no habrías podido matarlo si lo hubiera hecho, porque habría sabido que venías por él desde antes de que pudieras prepararte siquiera.

–¿Puedes leer mentes?

–No es leer, John, es sentir; siento exactamente lo que tú sientes.

Dio un paso al frente, con la pistola levantada y amenazante.

–Si siento anticipación entonces sé que alguien cerca está esperando algo. Alguien está emocionado. Luego empiezo a sentir un poco de miedo, y sé que aquello que están esperando es peligroso, luego siento algo más oscuro: odio, o agresión, y sé que quien sea que está allá afuera está planeando lastimar a alguien porque de repente siento ganas de lastimar a alguien. Lo que también significa que si acaso tienes las agallas para usar esa cosa –apuntó con su arma al cuchillo que tenía en la mano–, lo sabré tan pronto como lo hagas.

Miré el cuchillo en mi mano, luego lo dejé en el tocador.

–Si sientes las emociones de todos –pregunté–, ¿por qué lastimas a las personas? ¿No deberías pasar tu tiempo esparciendo felicidad y alegría y llenando el mundo con buenos sentimientos?

–Los sentimientos no son buenos o malos –dijo, acercándose–. Solo son débiles o fuertes. El amor, por ejemplo, es débil: alguien te quiere, tú le correspondes, estás feliz por un tiempo, y luego se desvanece. Pero si uno de esos amantes traiciona al otro, entonces tienes una emoción real, algo poderoso, algo que deja una marca de la que nunca te puedes deshacer. La traición es lo más delicioso que hay, pero toma un tiempo provocarla, y el miedo puede ser igual de intenso si sabes lo que estás haciendo.

Avanzó lentamente hacia mí, sonriendo ligeramente.

–Tú conoces el miedo. Cuando te enfrentaste a Makhai debiste de haber sentido un miedo más intenso que el que la mayoría de las personas ha experimentado. Miedo, traición, enojo, desesperación... las otras emociones palidecen en comparación.

Me mantuve firme.

–Soy un sociópata diagnosticado, Forman –le respondí–. Provocarme emociones intensas te va a costar más trabajo del que vale.

–No estás aquí para mi diversión –explicó Forman–. Estás aquí para contarme sobre Makhai.

–Pero tú sabes más que yo –dije–. Llevas conociéndolo cientos de años.

–Miles –me corrigió–. Pero hace cuarenta años desapareció, y ahora resulta que está muerto. Tú sabes dónde estuvo durante ese tiempo, y me lo vas a decir.

–¿Y vas a torturarme para extraerme esa información?

–Nada de lo que me digas bajo tortura me será de ayuda –respondió Forman–. Me lo dirás cuando estés listo. Por ahora, creo que es momento de que te presente al resto de los juguetes.

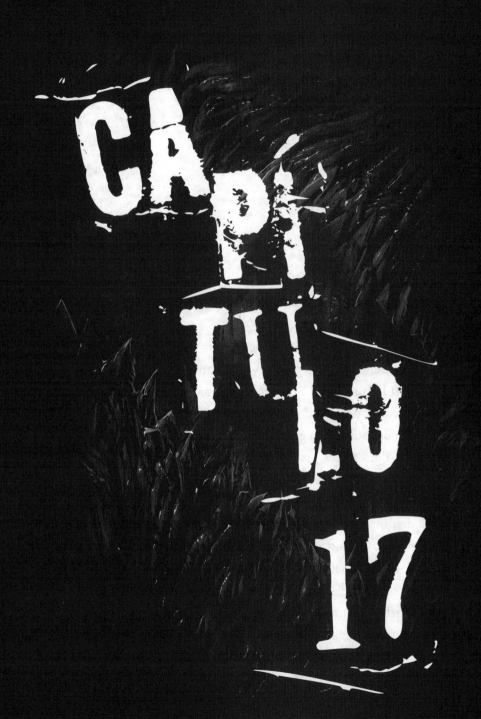

CAPITULO 17

F)orman me arrojó un manojo de llaves que extrajo de su bolsillo.

–Abre la puerta. Es la pequeña llave redonda.

Estábamos en la cocina, y Forman seguía apuntándome con la pistola. El arma me interesaba: Crowley/Makhai nunca había necesitado una, porque podía hacer que sus manos se convirtieran en garras. ¿Forman podía hacer eso? Había asumido que todos los demonios eran más o menos iguales, pero aparentemente no lo eran; Crowley tenía la capacidad de robar cuerpos, pero esta cosa emocional era completamente nueva. ¿Forman también tenía una forma de demonio acechando debajo de su forma humana, o la estructura de su cuerpo era inalterable?

Encontré la llave correcta y abrí la puerta. El olor de abajo era rancio y amargo, como una alcantarilla.

–¿Quién está abajo? –pregunté.

–Los juguetes –dijo Forman–. Radha y Martha y... no, creo que

Martha ya no está. Yo las veo a todas iguales, especialmente después de que han estado en el sótano unos meses.

—¿Vas a encerrarme a mí también aquí? —pregunté.

—Bueno, no puedo tenerte corriendo por las escaleras todo el tiempo, ¿o sí? Las puertas son caras —me apuntó con la pistola en la espalda, un tubo de metal frío—. Ahora métete.

Las escaleras eran empinadas y estrechas, y tuve que sujetarme del pasamanos para no caerme. Había una ventana pequeña y sucia arriba de la pared del fondo, pero la luz que salía de ella era débil y mis ojos todavía no se ajustaban a la oscuridad, así que bajé hasta la mitad de la escalera sin ver nada, cuando Forman prendió un interruptor detrás de mí.

—Párate ahí —dijo.

El sótano se iluminó con una luz amarilla, mostrado cuatro figuras sucias y escuálidas echas un ovillo como hierba marchita. Eran mujeres, vestidas con harapos; tres de ellas escondiéndose los rostros. El lugar estaba hecho de concreto sin acabados, con un tubo de alcantarilla en la esquina al que las mujeres estaban encadenadas, y una serie de ganchos que colgaban del techo. Parecía que el suelo también era de concreto, aunque estaba cubierto con una capa de tierra, desechos y sangre. En la esquina había una capa de tablas de madera con tres barriles de metal encima.

—Estos son mis juguetes —me susurró Forman al oído—. Estos fueron los que sobrevivieron mis primeras pruebas. Es poco probable que nuestra amiga en común Stephanie se les vaya a unir.

—¿Por qué no?

—Es demasiado débil —respondió Forman—. Me voy a cansar de ella muy, muy rápido. Esta, sin embargo, es mi favorita.

Señaló a la mujer en la esquina del fondo, la única que se atrevía a alzar la vista. Nos miró con rabia.

–Mírala –dijo Forman–, prácticamente desafiándote. Tengo que volver a la estación, pero... hay tiempo. Toma las llaves y llévala conmigo.

–No te voy a ayudar.

Forman me empujó hacia delante con la pistola, haciendo que perdiera el equilibrio. Me aferré al pasamanos, apenas evitando la caída, pero él me pegó con la pistola en los dedos y se abrieron involuntariamente, haciendo que soltara el pasamanos y me cayera de las escaleras. Me golpeé la cabeza contra las escaleras de madera y caí de espaldas sobre el cemento duro. El golpe me sacó el aire.

–A mí no me contestas –dijo Forman tranquilamente–. Esta es una lección que los otros juguetes han aprendido bien.

Me puse de rodillas para incorporarme, gimiendo, y me senté unos segundos para que mi cabeza dejara de dar vueltas. Me sujeté del pasamanos y me puse de pie.

–Muy bien –dijo Forman–. Ahora tráemela.

Caminé por la habitación, pisando con cuidado para evitar los montones de basura y las latas dispersas de comida para perros. Todas se encogían cuando pasaba a su lado. Estaban peligrosamente delgadas y cubiertas de lodo y suciedad; sus ropas estaban desgarradas, exponiendo su piel con cicatrices, estirada a través de las costillas.

Había cuatro mujeres en el sótano, y al menos dos más arriba; la casa entera era una fosa de terror y odio que era casi palpable, hasta para mí. ¿Cómo podía soportarlo Forman? Por lo que me había dicho arriba, su reflejo emocional no era algo que pudiera simplemente apagar; siempre estaba prendido, y siempre sentía lo que estaba alrededor de él. Probablemente era por eso que se quedaba en las escaleras y me mandaba a mí por la víctima: él estaría tan asustado abajo que prácticamente sería inútil.

¿Podía usar eso en su contra?

La mujer en la esquina me observaba fijamente mientras me acercaba, como el gato del almacén. Su piel era oscura, aunque no podía identificar con claridad su raza. Se veía un poco más grande que Lauren, aunque dada su condición no podía estar seguro.

—Se refiere a ti, ¿cierto? —susurré, arrodillándome frente a ella.

—Vete al diablo.

—¿Quién es la mujer en la pared? —le pregunté. La mujer me miró con recelo.

—¿Quién?

—Arriba —dije suavemente, desencadenándola lentamente para poder mantener más conversación—. Hay una mujer atrapada en la pared.

—¿En qué pared?

—En el cuarto de tortura —respondí tras hacer una pausa.

—No sé de qué me estás hablando.

—Seguro la has visto.

—¿Quién eres? —preguntó.

—Soy John Cleaver.

—Ya no. Eres uno de nosotros. O tal vez algo diferente —entrecerró los ojos—. Nosotras solo somos sus juguetes; tú eres su mascota.

—No pierdas el tiempo, John —gritó Forman.

—Escucha —dije—. ¿Cuál es tu nombre?

—Radha.

—¿Radha?

—Es un nombre hindú —gruñó.

—Bien —dije—, ahora escucha: no tenemos mucho tiempo. Creo que puedo matarlo, pero necesito de tu ayuda.

—Vas a fallar —respondió Radha—, y se va a desquitar con nosotras.

—Se va a desquitar conmigo.

—No seas idiota —dijo entre dientes—. Rompiste la puerta de su clóset y quién sabe qué más allá arriba, ¿y a quién está castigando por eso?

Negué con la cabeza.

—Ya no te va a castigar —aseguré—. Ahora, ¿cómo hace para venir por ustedes cuando no estoy aquí? ¿Cómo va por las otras?

—¿Por qué te importa?

—Solo dime, ¿puede bajar aquí?

Ella resopló y miró detrás de mí.

—Está ahí en las escaleras. Puede hacer lo que quiera.

—Sí, puede, ¿pero lo hace? —la miré directo a los ojos, tratando de hacer que se concentrara—. Necesito saber si ha bajado aquí antes, o qué pasó.

Miró por encima de mi hombro.

—Se está impacientando —pasó sus dedos por un conjunto desagradable de cicatrices en su pecho.

—Contéstame —supliqué.

—Claro que baja aquí —dijo— ¿Crees que nosotras subimos voluntariamente?

—¿Se asusta cuando baja? ¿Se ve nervioso, o tiembla, o algo así?

—¿Por qué tendría miedo de nosotras? —preguntó Radha—. Él tiene una pistola, y nosotras estamos encadenadas. ¿Cómo un idiota como tú podría esperar detenerlo?

Estaba casi gruñendo de furia. *Ajá.*

—Eres tú —dije, mirando rápidamente alrededor—. Estás enojada, y él se centra en eso.

—Tengo muchas razones para estar enojada —respondió. Es por eso que Radha era su favorita, tenía un carácter fuerte y sentía mucha rabia, y él podía usar el hilo de ira para mantenerse funcionando cuando el miedo de todas las demás lo hacía querer huir. Es por eso que huyó de Stephanie anoche: ella era todo miedo, así que él también. Fue conmigo para tranquilizarse.

—No puedes permitirte enojarte —respondí—. Tienes que estar aterrorizada, yo también. Es la única forma.

—Aquí viene —dijo Radha.

—Puede enfocarse en una emoción y alejar las otras. Así es cómo me encontró en la casa, incluso con todas ustedes aquí interfiriendo las señales. Puede alejar todo eso...

—¿De qué estás hablando? —preguntó.

—Estoy diciendo que creo que tienes razón —respondí—. Me *está usando* como una mascota. Me está usando para tranquilizarse después de que las lastima a ustedes.

No parecía estar entendiendo. ¿Sabía que él absorbía emociones?

—¿Eso qué significa? —preguntó.

—Significa que mi plan no va a funcionar —dije—. Necesito encontrar otra debilidad.

Algo duro me golpeó rápidamente en un lado de la cabeza y se me nubló la vista. Caí al suelo, tomándome la cabeza, pero escuché la voz de Forman arriba mío, indistinguible entre el zumbido que llenaba mis oídos. Luché para levantarme, pero me pateó fuerte en el estómago y me doblé del dolor.

–¿No te advirtió que no conspiraran en mi contra?

Tosí con dureza, luego rodé de lado y vomité.

–Una cosa de la que te voy a agradecer, sin embargo, es que hiciste que Radha tuviera esperanza, solo por un segundo, y eso hace que su decepción subsecuente sea mucho más dulce.

Tosí otra vez, apretándome el estómago con una mano y envolviéndome la cabeza con el otro brazo.

–Levántate –dijo. No me moví–. ¡Levántate! –gritó, y disparó su pistola. El ruido era ensordecedor, y algunas de las mujeres chillaron al escucharlo. No me pegó; debió de haber sido un disparo de advertencia a la pared.

Escuché gemir a la mujer que tenía más cerca y pensé en todo el miedo que debía estar sintiendo Forman. Levanté la vista y lo vi sonriendo, casi mirando de reojo, con los ojos muy abiertos. Parecía borracho.

Era como una droga.

–Ahora levántate –ordenó. Luché para ponerme de rodillas y me pateó otra vez, más suave esta vez, solo lo suficiente como para hacerme saber quién estaba a cargo. Me quedé un momento de rodillas, recuperando el aire, y me paré sobre un pie, luego sobre el otro. Me quedé un momento echado hacia delante, con las manos en las rodillas, intentando respirar profundamente e ignorar el dolor.

Radha estaba en silencio, encogiéndose contra la pared.

Pese a su enojo, aparentemente había aprendido a no desafiarlo directamente.

—Levanta esto —ordenó Forman, tirando algo en el suelo frente a mí. Era mi navaja de bolsillo—. Levántala —repitió. Me incliné y la recogí—. Como tú y Radha se han vuelto tan amigos —dijo—, ¿por qué no se conocen un poco más? Córtala.

—No —contesté. Me pateó detrás de la rodilla y caí otra vez, tirando la navaja para poner las manos en el suelo.

—Ya te dije que no me contestes —dijo—. Ahora levántate.

Tomé la navaja y me puse otra vez de pie. Radha me miraba con ferocidad, con los ojos oscuros entrecerrados y enseñando los dientes.

—Leí tu archivo psicológico —dijo Forman—. Estás obsesionado con la muerte. Y también sé, gracias a nuestra conversación de anoche, que ya mataste a una persona, y me imagino que el recuerdo de ello te ha estado revolviendo las entrañas por meses. Probablemente estés desesperado por volver a lastimar a alguien.

El rostro de Radha era duro y determinado, como una máscara de muerte. Tenía las manos apretadas en forma de puño.

—He pasado mi vida estudiando a personas como tú, John, y sé exactamente cómo piensas —Forman estaba detrás de mí, pero su voz llenaba la habitación—. Sueñas con cazar personas. Torturas animales. Le arrancas las alas a las moscas. Eso es todo lo que ella es, John: es una mosca, es un insecto. No es nada. Córtala.

Radha me miraba fijamente, pero sus ojos ahora estaban más abiertos; su mirada era menos directa. Pensaba que estaba de su lado, pero la duda la estaba arrastrando. Estaba empezando a temerme.

De alguna forma, la hoja de mi navaja se había desdoblado en mi mano. La levanté y vi el reflejo de la luz brillando y escurriéndose como una gota de miel.

El cuchillo se sentía tan... bien. Dejando todo lo demás de lado, esto era yo: un hombre con un cuchillo, temido y respetado, libre de hacer y decir y ser quien quisiera ser. Meses atrás había estado en la misma situación, en la misma exacta posición, levantando el cuchillo hacia mi madre, viendo cómo se retorcía y sabiendo que podía hacer lo que yo quisiera. Había sido un dios, justo como Forman había sido uno, y lo había tirado todo por la borda. ¿Por qué? ¿Para poder forzarme a mí mismo en un molde en el que no cabía y pasar el resto de mi vida viviendo una dolorosa mentira? ¿Para poder pasar mis días en aislamiento y mis noches perdiendo una batalla contra mi propia naturaleza? Había desperdiciado 16 años de mi vida tratando de ser alguien que no era, y todo el tiempo me había estado haciendo la pregunta incorrecta.

En vez de preguntarme "¿Cuánto tiempo más puedo seguir con esto?", debí haberme preguntado "¿Por qué debería seguir con esto en primer lugar?".

Radha podía verlo ahora: un cambio en mis ojos, en mis manos o en mi cuerpo le había advertido que lo iba a hacer. Ahora tenía miedo. Sabía cuánto quería cortarla, abrirla a la mitad, escucharla gritar solo para mí.

¿Para mí? ¿O para el Señor Monstruo?

Llevaba días sin pensar en el Señor Monstruo. Solía llenar mi mente como una infección, duplicándose y creciendo, pero ahora ni siquiera había pensado en él desde... desde la noche en la que maté al gato en el almacén. Lo que significaba que no había desaparecido en absoluto, solo se había integrado tan bien en mi propia conciencia que me había vuelto él por completo. John prácticamente había desaparecido.

Levanté la navaja, mirándola fijamente. Había tantas opciones, tantas cuchillas y herramientas: un abrelatas, una sierra, un sacacorchos. Quería probarlas todas. Quería sentir la tensión de sus músculos mientras presionaba su espalda con un cuchillo, escuchar sus gemidos de dolor, suaves y aterrorizados. Esto era yo. Pero no era quien quería ser.

Puse un dedo en el reverso de la cuchilla y lentamente la cerré de arriba abajo. Hizo click al cerrar.

–John... –dijo Forman lentamente. ¿Qué estaba sintiendo de mí?

Le tendí la navaja, apretándola en mi mano y viendo a Radha directamente a los ojos. Era difícil de ver, como si mis ojos estuvieran borrosos. Estaba llorando. Tiré la navaja, y mientras caía hizo un corte en mi alma, arrancando al Señor Monstruo como un tumor. Estaba herido, estaba roto por la mitad, pero era yo otra vez.

–Idiota –exclamó Forman y me volvió a pegar, un golpe sólido en la parte de atrás de la cabeza que me hizo caer como un costal de piedras. Radha me atrapó, cayendo de rodillas para frenar mi caída. Detrás de mí Forman estaba maldiciendo oscuramente, y escuché algo fuerte y metálico.

–Eres un idiota –repitió Forman–. Eres un enfermo, un estúpido idiota. ¿Crees que no te puedo hacer nada? ¿Por qué no le preguntas a tu nueva novia cuán divertida es la fosa, eh?

Se escuchó un chirrido fuerte y Radha me apretó contra sí, lejos de Forman. Algo pesado cayó sobre mi pie y cuando volteé vi que una gruesa tabla de madera me había caído encima. Forman había movido los tres barriles de la esquina y las tablas debajo de ellos. Había un amplio agujero en el suelo de concreto, con nada más que oscuridad.

—Nunca te rindas —dijo Radha—. No importa qué tan mal se ponga, y no importa qué quiera que hagas. Nunca te rindas.

Algo me sujetó por detrás y me arrastró, alejándome de Radha y desgarrándome el piel debajo de la tabla.

—Te va a encantar estar aquí —aseguró Forman—. Es un gran lugar para un tipo como tú: nada que hacer, nada que ver, nada que pensar salvo cuánto te odias a ti mismo.

Me arrastró por el suelo y vi que el hoyo estaba lleno de agua aceitosa color café. Traté de zafarme pero Forman me tenía sujetado con mucha fuerza; me arrastró al borde y me tiró.

El agua era menos profunda de lo que pensaba, quizá solo tenía 30 centímetros de profundidad, y choqué contra el fondo en un doloroso e inesperado golpe. El agua estaba resbaladiza y fría. Me levanté un poco, tratando de reorientarme, justo a tiempo para sentir cómo una de las tablas pesadas caía sobre mi cabeza. Caí de bruces en el agua y de pronto todo era silencioso; los sonidos eran distantes y opacos, desvaneciéndose en la nada.

Quería que se desvanecieran para siempre.

CAPITULO 18

¡John! –era un susurro áspero, fuerte y suave a la vez–. John, ¿estás bien?

El sonido era apagado y distante.

Tenía frío, y me palpitaba horriblemente la cabeza. Me moví un poco, y sentí lanzas de dolor por todo el cuerpo. El agua sucia me lamía la cara.

–Se movió –dijo una voz–. Está vivo.

–¿Puedes escucharnos? –preguntó otra.

El dolor en mi cráneo estaba centralizado: traté de ponerme la mano ahí para sentirlo, pero me resbalé en el agua tan pronto como me moví. Bajé otra vez mi brazo y saqué el rostro del agua. El agua era lo suficientemente profunda como para que no me pudiera recostar, así que tenía que sostenerme a mí mismo con los brazos, pero al mismo tiempo, los tablones de arriba eran demasiado bajos como para poder sentarme cómodamente. Me balanceé con más cuidado y levanté la mano para tocarme la cabeza. Era difícil torcer mi cuerpo en la forma correcta, pero mis dedos sentían un gran chichón. Era enorme. Tenía suerte de no haberme ahogado.

–¿John? –insistió una voz. Luego más suave, dijo a un lado–. Sí dijo que su nombre era John, ¿no?

Intenté responder, pero tenía la garganta cerrada y mi voz era ininteligible y rasposa. Tosí, tragué e intenté de nuevo.

–¿Radha? –pregunté.

–Se la llevó arriba –explicó la voz–. No va a volver hasta mañana. Yo soy Carly.

Pensé en Stephanie, colgada allá arriba, y en todas las cosas que Forman le había hecho. Ahora se las haría a Radha. En alguna parte dentro de mí, el Señor Monstruo deseaba estar donde las mujeres eran torturadas; deseaba ser parte de eso. Eso estaba bien; si era consciente del Señor Monstruo, eso significaba que otra vez estábamos separados. Otra vez estaba en control.

–Hay otra mujer arriba –dije–. Su nombre es Stephanie. La trajo la misma noche que me trajo a mí.

–La va a traer aquí abajo tarde o temprano, si sobrevive –respondió Carly. Hizo una pausa, luego otra voz habló.

–¿Dónde estamos?

Me quedé callado un momento

–¿A qué te refieres? –pregunté.

–Yo soy de Atlanta –explicó la nueva voz–. Ya no estamos ni remotamente cerca de allí, ¿verdad?

Atlanta. ¿Ahí es donde Forman vivía antes de venir aquí? Ninguna de estas mujeres venía de Clayton, o hubiéramos escuchado sobre sus desapariciones en las noticias.

–No –respondí–, no estamos nada cerca de Atlanta. ¿Todas son de ahí?

—Somos de todas partes —respondió otra mujer. Ella era la tercera prisionera, sin incluir a Radha.

—¿Qué día es?

Pensé en el día de ayer, aunque parecía que había sido hacía mucho tiempo.

—Hoy es 12 de junio.

—Tres meses —dijo una mujer.

—Cuatro para mí —contó Carly.

—Casi cinco semanas —dijo la tercera.

Forman llevaba en Clayton casi siete meses, pero viajaba seguido. ¿Había recogido a estas mujeres de todo el país?

—Tú, la de Atlanta —llamé—. ¿Te atrapó hace tres meses?

—No —dijo ella—. Nebraska —después de un momento agregó—: mi nombre es Jess.

—Jess —repetí—. ¿Y desde entonces has estado aquí?

Mi cabeza estaba empezando a palpitar de nuevo, y me moví con cuidado para aliviar la presión del chichón.

—No aquí —contestó—, pero sí como prisionera.

—Había otra casa —explicó Carly—. La mayoría de nosotras venimos de la vieja casa, pero no estaba ahí muy seguido. Alguien venía una vez a la semana a alimentarnos, no sabemos quién, pero Forman seguía visitándonos con suficiente frecuencia como para mantenernos aterrorizadas. Aproximadamente un mes después nos metió en un camión de mudanzas y nos trajo aquí. Recogió a Jess en una parada de camiones.

—Estaba viajando —dijo Jess suavemente.

—A mí me recogió en Minnesota —contó una tercera voz. Hizo una pausa y luego agregó—. Yo soy Melinda.

—Así que vino aquí hace unos siete meses a investigar al

Asesino de Clayton, pero todavía tuvo tiempo para viajar por todas partes y secuestrarlas… además de las cuatro que ya mató.

Era como una adicción: no podía pasar mucho tiempo sin torturar a nadie; necesitaba la carga emocional como una droga. ¿Podía usarlo en contra suya? Tenía que haber una forma de salir de esto.

–¿La fosa ya estaba aquí cuando ustedes llegaron?

–Sí –respondió Carly–, y las cadenas y las cuerdas en las vigas de arriba.

–Las paredes también están reforzadas –dije–. Le tomó un tiempo, pero preparó todo para tener un calabozo perfectamente funcional para cuando ustedes llegaran. Eso es mucho qué mover.

–Ya lo había movido antes –explicó Jess–. Al menos una vez. Radha se acuerda de una tercera casa; ella es la que lleva más tiempo aquí.

Claro. Radha era su favorita, porque era una luchadora. Cada día elegía entre luchar y ser su víctima favorita, o rendirse y que la mataran.

–¿Cuánto tiempo lleva ella aquí? –pregunté.

–Un año –respondió Melinda.

Un año. Después de tanto tiempo, la mayoría de las personas eligen morir. Aparentemente no era el caso de Radha.

Y luego empezaron sus gritos, esparciéndose desde arriba como una profecía de fatalidad. Todos nos quedamos callados y yo me deslicé hacia abajo hasta que el agua me cubrió las orejas y pude ahogar el ruido.

El agua era fétida y aceitosa; probablemente había tenido a varias prisioneras aquí y nunca se había limpiado. Cuando sentí la necesidad de orinar lo contuve lo más que pude, pero llegó un momento en el que no había nada más que pudiera hacer que dejarlo ir. El agua se puso más tibia, y finalmente dejé de temblar.

Me la pasé perdiendo y recuperando la conciencia, siempre atento, incluso en mi sueño, de mi cabeza y de mis brazos y de la superficie del agua. Traté de torcer mi cuerpo en cierto ángulo para presionar contra las tablas arriba de mí, pero eran demasiado pesadas para levantarlas. Los barriles que tapaban la entrada probablemente estaban llenos de tierra, o de más agua.

Terminé en una posición perpendicular a una de las paredes, tenía la cabeza acomodada junto a la pared y los brazos cruzados debajo de mi cabeza; con mis manos en puños, una encima de la otra, me daba la suficiente altura para mantener mi cara fuera del agua. Me quedé ahí inmóvil, respirando con lentitud, apenas consciente.

No había comido o bebido nada desde mi cita con Brooke. Después de pasar horas en la fosa, mi hambre me hizo sentirme débil y enfermo, y tenía tanta sed que apenas podía tragar. No había nada para beber más que el agua en la que estaba sumergido, así que di un trago cautelosamente y traté de dormir.

–¿Sigue ahí?

–Sí. Nunca habla, pero escuchamos el agua de vez en cuando, así sabemos que está vivo.

–Está dormido, entonces.

La voz era débil, pero familiar. Radha había vuelto.

–Estoy despierto –dije, presionando mi cabeza y mis brazos más firmemente contra la pared. El agua se movió a mi alrededor haciendo ligeras olas.

–¿Quién eres? –preguntó Radha.

–Mi nombre es John Cleaver –respondí.

–Sé cómo te llamas –dijo Radha–, ¿pero quién eres? ¿Por qué estás aquí?

–Por la misma razón que ustedes –contesté.

–Pero nunca antes había traído a un hombre –aseguró Carly.

–Y dijo que eras un asesino –dijo Radha.

–Yo… –me detuve. ¿Qué podía decirles? Y más importante aún, ¿qué podía aprender de ellas? Habían vivido con Forman mucho más tiempo de lo que yo lo conocía; si podía transformarse en un demonio, posiblemente ellas lo sabían–. ¿Alguna vez han visto a Forman… distinto?

–¿Quieres decir disfrazado? –preguntó Radha–. No que yo sepa.

–No –dije–, quiero decir si nunca han visto que, no sé, ¿le crezcan garras o algo? ¿Colmillos? ¿Alguna vez lo han visto como un monstruo real?

Silencio. Después de un momento escuché a Radha hablar en voz baja.

–Está alucinando.

–La fosa hace eso –dijo Melinda.

–No –respondí–. Es real. Uno de sus amigos era… –me detuve. No sabía si Forman estaba escuchando, y esta era información que todavía no le había dado. Esta era la única razón por la que me tenía aquí, supuestamente, para averiguar qué había pasado con el demonio Makhai.

En cualquier caso, su confusión ya había respondido a mi pregunta: si lo hubieran visto cambiar de forma habrían sabido de inmediato de lo que les estaba hablando. No había necesidad de dar más información.

–No importa –dije.

–¿Así que mataste a alguien? –preguntó Radha.

–Así es –afirmé–. A un amigo de Forman. Pero yo no quería lastimar a nadie.

Silencio otra vez.

–¿Puedes matarlo a él? –preguntó Melinda.

Oí un suspiro de las otras, y un gruñido de protesta de Radha.

–Deténganse –dijo Radha–. ¿Tienen idea de cuántas mujeres ha matado por intentar escapar?

–¿Y cuál es la alternativa? –increpó Melinda–. ¿Quieres que dejemos que nos torture hasta matarnos, como a las demás?

–Quiero esperar el momento adecuado –dijo Radha–. He estado aquí todo un año, Melinda, todo un maldito año. Sé cómo piensa, y sé lo que estoy haciendo. A veces me hace subir para que cocine: confía en mí. Y un día va a confiar en mí lo suficiente como para dejar abierta una oportunidad, y entonces voy a aprovecharla y voy a liberarnos a todos. ¡Pero no podemos movernos antes de que eso pase o perderemos todo!

–¿Y qué sucede mientras? –preguntó Melinda–. ¿Dejas que te conecte a una batería y te apuñale algunos cientos de veces?

Se estaban enojando demasiado. Forman lo iba a sentir y sospecharía algo.

–Silencio –ordené–. Van a hacer que baje.

–No puede escucharnos –dijo Radha.

–Pero puede sentirte –contesté–. ¿No lo sabes?

–Ya habías dicho eso –dijo Carly–. ¿A qué te refieres?

–Forman es como… es como una aspiradora emocional. Cualquier cosa que tú sientes, él la siente. Es por eso que se asusta cuando las asusta a ustedes, y es por eso que siempre sabe qué pasa aquí.

–¿Puedes matarlo si te saco de ahí? –preguntó Melinda. Dudé.

–No lo sé. Puede ser más fuerte de lo que pienso, puede tener algún tipo de poder más allá del tema emocional. Colmillos y garras, como dije.

Los engranajes empezaron a girar en mi cabeza, conectado ideas, y empecé a formar un plan.

–Pero podríamos sorprenderlo.

–¿Cómo? –preguntó Jess.

–¿Realmente puedes liberarme de aquí? –pregunté.

–Casi alcanzo los barriles desde aquí –dijo Melinda. Escuché cómo la cadena raspaba el suelo–. Probablemente pueda empujar uno de ellos lo suficiente para que puedas mover una tabla.

Eso sería suficiente; podía escurrirme por el hueco y esperar en reposo hasta que volviera a bajar. Pero si sentía algo fuera de lo ordinario –esperanza, excitación, anticipación– sabría que estábamos planeando algo. Tal vez yo era capaz de camuflar mis propias emociones, pero las mujeres necesitaban hacer lo mismo.

—Todas, piensen en sus familias —les pedí—. Piensen en cuánto las extrañan, y en cuánto tiempo ha pasado desde la última vez que las vieron, y en cualquier otra cosa que las ponga tristes. Sé que suena horrible, pero tienen que estar tristes. Ignoren a Melinda, ignórenme a mí, solo traten tanto como puedan de estar tristes.

—¿Pero qué vas a *hacer*? —preguntó Jess.

—Primero la tristeza —dije—. Tienen que confiar en mí.

»Por favor —supliqué, al no escuchar respuesta.

Hubo una larga pausa, luego Radha finalmente habló.

—Está bien, lo haremos —accedió—, pero cuando te atrape, le voy a decir todo. No voy a poner en peligro la confianza que me he ganado.

—Está bien —dije—. Melinda, hazlo, pero no pienses en lo que estás haciendo. Solo mantente triste.

Escuché la cadena raspar de nuevo, luego hubo un ruido arriba mío, un ligero golpeteo, un suave rasguño y algo moviéndose, seguido de un ligero chirrido mientras el barril raspaba la madera. No se movió mucho, pero se movió.

Esto nunca va a funcionar, me dije a mí mismo, tratando de amortiguar cualquier emoción de esperanza. *Nunca volveré a ver a mi familia. Nunca volveré a ver a Brooke. Ella va a crecer, conseguirse un trabajo en la planta de madera, y casarse con Rob Anders y él la va a golpear todas las noches.* Sentí cómo me iba enojando y traté de bajar el tono. *No se va a casar con Rob; va a morir joven: la va a atropellar un coche en un extraño accidente. Joven e inocente, esparcida en la carretera.*

El barril encima de mí se movió otra vez.

Lauren también va a morir, y Margaret, pero no mamá, ella va a vivir por décadas enteras, vieja y sola. De hecho, probablemente sea su culpa que hayan muerto las otras dos y se lo va a recriminar eternamente. Hice una pausa. No estaba funcionando. Eso tenía que haber sido triste, pero no me estaba sintiendo triste. ¿Por qué?

Porque las cosas malas que les pasaban a otros no me molestaban. Era un sociópata.

Escuché llorar a una de las chicas, no podía identificar a cuál. ¿Qué tan cerca estábamos? ¿Cuánto tiempo tomaría? El barril volvió a raspar, y un momento después la luz inundó la fosa a través de un hueco en las tablas. El movimiento del barril había dejado un hueco, una larga línea que se extendía a lo largo de toda la tabla. Alguien había prendido la luz.

Forman estaba aquí.

—Qué interesante —dijo Forman, en voz tan baja que apenas lo pude oír. Todavía estaba lejos, pero su voz se escuchaba cada vez más fuerte y supuse que estaba bajando las escaleras.

»Una casa llena de gente asustada, enojada y desesperada de repente se pone triste, positivamente abatida, casi en sincronía. ¿Creen que no iba a notar algo como eso?

Las mujeres estaban calladas.

—Y ahora resulta que alguien ha estado intentando abrir la fosa —continuó Forman, ahora mucho más cerca—. Y todas saben muy bien, si bien recuerdo, que no tienen permitido abrir la fosa. ¿Es correcto?

Silencio.

—Así que me imagino que si alguien de ustedes ha estado

tocando la fosa, significa que quiere estar en ella, ¿cierto? Por favor déjenme ayudarlas con eso.

Hubo un gran estruendo arriba de mí, luego otro, luego otro. Los barriles ya no estaban y Forman pateó las tablas. La luz inundó la fosa, enceguecíéndome. Apreté los ojos.

–Sal de ahí, John –ordenó Forman–, uno de los juguetes se ha ofrecido de voluntario para tomar tu lugar, y supongo que también quiere un poco de lo bueno.

Me forcé a abrir los ojos y lo vi parado junto a la pared con el cable de una extensión. Había cortado la clavija de la tomacorriente, y separado los dos cables principales, dejando dos bucles largos de punta con unos diez centímetros de cable pelado. Juntó las dos puntas y sacaron chispas.

–Ustedes ya saben qué divertido es esto si lo pongo en sus cadenas –dijo, dirigiéndose a las mujeres–. Ahora imaginen qué divertido va a ser en el agua.

Me paré lentamente, tomándome del borde, con las piernas dormidas y adoloridas.

–Así que todo lo que necesito saber –siguió Forman– es quién de ustedes abrió la fosa –hizo una pausa, esperando, y después de un momento volvió a juntar los cables para que sacaran chispas–. ¿Alguien?

Miré a Radha; todas las mujeres la estaban observando a ella. Esto era exactamente lo que nos había advertido, y era momento de hacer exactamente lo que había prometido. Era su oportunidad para hacer que Forman confiara en ella. Era lo más listo. Le iba a tomar más tiempo, pero con el tiempo le podía funcionar. Podría ser libre.

Radha captó mi mirada, con los ojos grandes, profundos

y claros, y la sostuvo un momento, luego agitó la cabeza ligeramente para que el cabello le tapara la cara de la vista de Forman. Miré más de cerca y vi que decía con los labios: *Nunca te rindas.*

Volteó a mirar a Forman.

–Yo lo hice –dijo.

–¿Disculpa? –preguntó Forman.

–Lo siento –respondió–. Quise decir: "Yo lo hice, maldito bastardo sin cerebro".

¿Qué estaba haciendo?

–Métete a la fosa –ordenó Forman, frío como el acero.

–Seguro –respondió Radha–. Déjame que me libere de estas cadenas y me dé una vuelta por ahí. Buen plan.

¿Era idiota? Se estaba enojando más de lo usual, lo que lo forzaba a enojarse también. ¿Pero por qué? No tenía ningún sentido.

–Sal de la fosa, John –dijo, tirando los cables al suelo y pasando a mi lado, encendido de rabia. Radha se preparó para luchar pero él le pegó fácilmente: le dio una bofetada en la cara con el dorso de la mano y la tiró al suelo. Se veía delgada y larguirucha, como un espantapájaros hambriento. Forman sacó sus llaves y quitó sus cadenas del tubo de drenaje, luego las usó para arrastrarla a la fosa.

–¡Dije fuera de la fosa, John!

Me tropecé hacia atrás, subí y caí, empapado y tiritando, sobre el suelo sucio de cemento.

Forman lanzó a Radha en el hoyo y empezó a apilar las tablas de nuevo encima de ella, sosteniendo bajo sus pies un gran tramo de la cadena.

–Trae los barriles, John.

–No.

Sacó su arma y me disparó a los pies, fallando por unos pocos centímetros.

–¡Dije que trajeras los barriles!

Los tres barriles eran pequeños pero pesados, probablemente llenos de tierra. Rodé uno sobre las tablas y me enderecé, luego fui por el otro cuando una voz salió de debajo, tensa pero desafiante.

–¿Ni siquiera puedes hacerlo en mi cara, cobarde?

¿Acaso *quería* que la matara?

Forman pasó junto a mí, hecho una furia, tomó el cable de extensión y lo llevó a la fosa. Tocó con los cables la cadena de Radha y ella gritó; las tablas temblaron, e imaginé su cuerpo teniendo un espasmo dentro de la fosa. Alejó los cables solo un segundo después; apenas habían tocado la cadena.

–Posiblemente la mates con eso –dije.

–No –respondió Forman–. Posiblemente la mates tú.

Levantó los cables e hizo una señal para que me acercara. Radha se ahogó y salió en busca de aire, luego empezó a gritar insultos hacia Forman.

–No –dije.

La volvió a electrocutar y su repentino grito fue cortado por un sonido de gárgaras mientras se hundía en el agua. Las tablas vibraron y hasta el pesado barril tembló. Forman retiró los cables.

–No puedes detener esto, John –afirmó Forman–. El *shock* eléctrico que tú le des será el último, tienes mi palabra, pero hasta entonces… –volvió a electrocutarla y las tablas de encima saltaron con ella– …seguiré haciendo esto.

¿Qué se supone que tenía que hacer? ¿Cuál era el plan de Radha? Había pasado un año tratando de ganarse su confianza, y ahora había tirado todo por la borda, ¿para qué? ¿Para salvar a Melinda de unos *shocks* eléctricos? No parecía que valiera la pena.

Podía salvarla, podía caminar hacia allá y electrocutarla, y entonces Forman la dejaría en paz. ¿Pero podía confiar en él? E incluso si pudiera, ¿qué habría conseguido Radha con su decisión? Nada, excepto hacerme obedecer a Forman. No podía ser eso lo que ella estaba buscando, me había dicho: "Nunca te rindas".

Volvió a electrocutarla y su grito fue fuerte y primitivo. Las otras mujeres estaban llorando, encogiéndose en sí mismas, tratando de esconderse del mundo que había enloquecido a su alrededor. Forman retiró los cables y me los ofreció otra vez.

¿El plan de Radha era un truco? ¿Sabía que Forman me iba a pedir que lo ayudara? ¿Todo esto estaba diseñado para darme un arma, para que tomara los cables y lo atacara? Pero ella no podía saber que eso iba a suceder, ¿o sí? Todo lo que sabía es lo que yo le había dicho, que yo era un asesino y que no quería serlo.

Nunca te rindas.

Me mantuve firme.

—No lo voy a hacer.

—¿Estás seguro? —preguntó.

—No lo haré.

—Púdrete en el infierno, Forman —escupió Radha, con la voz débil y cruda.

—Tú primero —respondió Forman y tocó la cadena con los cables. Ella volvió a gritar y las tablas encima de la fosa temblaron, saltaron y se sacudieron. Forman no quitó los cables esta vez, los dejó ahí, viendo la conmoción. Corrí hacia él pero levantó su arma con una mano, dejando los cables en la cadena con la otra. Ahora las tres mujeres estaban gritando y yo observaba impotente. Estábamos asustados como nunca, pero la cara de Forman estaba llena de rabia. Radha lo estaba llenando de ira y él la estaba recibiendo plenamente.

Y luego, abruptamente, las tablas dejaron de temblar y la ira de Radha desapareció.

Era un cambio muy visible, físico, los músculos en la cara y el cuerpo de Forman, tensos por la ira, se suavizaron de pronto y luego se pusieron rígidos una vez más a causa del miedo. En vez de inclinarse hacia delante como un depredador, se echó para atrás, con los ojos abiertos, horrorizado. Su respiración se aceleró y soltó los cables, tomándose del pecho y tragando saliva. Estaba sudando y se echó hacia atrás, luego trató de ponerse en pie y correr pero sus piernas cedieron al peso. Gateó hacia las mujeres como si buscara refugio, pero eso solo las asustó más y se encogieron hacia atrás. Forman aulló, en un grito animal de terror, y luego se echó al suelo en posición fetal. El arma había caído cerca. Forman estaba indefenso.

Este era el plan de Radha. Me había dicho antes que se quebraba cada vez que mataba a una de ellas: las emociones de las otras mujeres y de la víctima misma al momento de morirse eran simplemente demasiado para él. Nunca habían tenido la oportunidad de obtener ventaja de eso porque siempre habían estado encadenadas, pero yo no tenía cadenas. Se había sacrificado para ponerlo en ese estado, para este

292

momento en el que yo pudiera obtener ventaja de eso y acabar con él.

Los cables estaban más cerca que la pistola, a tan solo unos cuantos pasos. Los recogí rápidamente, teniendo cuidado de tocar solo el plástico, y caminé hacia Forman. Sus gritos bajaron de volumen: estaba sintiendo mi claridad ahora, apartando el miedo de las mujeres y recomponiéndose. No tenía mucho tiempo. Corrí los últimos pasos y salté hacia él con los cables, pero sus manos se alzaron y me sujetaron de las muñecas en el último segundo.

¿Cómo podía ser tan rápido?

Luché para bajar los cables, para tocarlo en cualquier lugar en donde hubiera metal expuesto, pero era demasiado fuerte. Poco a poco se veía más concentrado, más decidido, y empezó a doblarme los brazos. Esperaba que llevara los cables hacia mí, pero en vez de eso los estaba llevando hacia los lados: no quería que los cables me tocaran porque él me estaba tocando a mí y yo estaba empapado, así que cualquier corriente que pasara por mí iba a electrocutarlo a él también. Forman no quería que eso pasara, lo que significaba que eso lo lastimaría. Y si lo iba a lastimar, quería hacerlo.

–Nunca te rindas –repetí, y cambié la dirección de mis manos, jalándolas hacia mí en vez de hacia él. Sentí un tirón blanco de fuego pasar a través de mí, cada músculo en mi cuerpo estaba gritando y flexionándose y quemándome al mismo tiempo, y luego todo se puso negro.

CAPÍTULO 19

M i tercera cita con Brooke fue una continuación de la segunda: nos vestimos con ropa llamativa de turistas y fuimos al Museo del Zapato, tomados de la mano y riéndonos de las habitaciones y de los pasillos llenos de zapatos. Había polainas desteñidas de viejos uniformes militares, y calzado brillante de velcro de los años ochenta. Había moldes ajustables de madera traídos de Inglaterra, sandalias con tacones de madera de Japón, y pesados zuecos de madera de Dinamarca; había botas de piel de lagarto, piel de serpiente y piel de tiburón. Había pantuflas con caras y pequeñas luces. Había calzado deportivo con grandes tacos de metal. Había zapatos para nieve. Había zancos.

Podía escuchar una voz en el pasillo, familiar pero imposible de identificar. Giré para preguntarle a Brooke si ella la reconocía, pero había desaparecido. Escuché otra vez la voz, y era de Brooke, así que empecé a seguirla por un laberinto de zapatos y estantes. Los pasillos eran largos, se bifurcaban y luego convergían en un solo punto; en cada esquina había más habitaciones, más zapatos, hasta que me di cuenta de que las paredes mismas estaban hechas de zapatos, de grandes pilas de ellos, como una cueva excavada en una montaña inmensa de zapatos. La voz de Brooke me llamó, diciéndome que tenía que despertar. Mis propios zapatos habían desaparecido y mis pies estaban mojados y fríos. Me estiré para tomar un par de la pared y mi mano tocó el cemento desnudo.

Estaba en el sótano de Forman, despierto y frío. Me encontraba esposado a una tubería en la esquina, con los pies descalzos y mi boca sabía a vómito. Toqué mi pecho con cuidado, me dolían los músculos y sentí dos quemaduras donde la corriente había forzado su camino a través de mi piel y hacia todo mi cuerpo.

–¿John?

Levanté la mirada y vi a las otras mujeres observándome. Stephanie se les había unido, encadenada a la esquina donde Radha solía estar. No reconocía a las otras de vista, solo por la voz, pero fuera de la fosa era más difícil identificar sus voces.

–¿Qué pasó? –pregunté, todavía aturdido.

–Te electrocutaste –respondió una de las mujeres. Era más joven que las otras dos, pero tal vez un poco más grande que Stephanie. ¿Jess, quizá?

»Los derribó a los dos.

–Cayó demasiado lejos de nuestro alcance –explicó otra–. Creo que me disloqué la muñeca intentando alcanzarlo –esa debía ser Melinda.

–¿Para alcanzar las llaves? –pregunté.

–O para matarlo –dijo, encogiéndose de hombros con frialdad. Definitivamente era Melinda.

–¿No estaba la pistola aquí? –pregunté.

–Cayó por allá –señaló, haciendo un gesto hacia las escaleras. Hablaba con suavidad.

–Así que él se despertó primero –dije. Tal vez podía regenerarse, como Crowley–. ¿Cuánto tiempo estuvo inconsciente?

–Una hora, tal vez dos –respondió la última mujer; reconocí la voz de Carly–. Igual que tú. De hecho tú empezaste a moverte primero, pero él se despertó y te inyectó algo. Creímos que era veneno.

–Era un sedante –aclaró Jess–. Es el mismo que usó para secuestrarme.

Así que mi conjetura acerca de la descarga eléctrica era correcta: era tan susceptible a ella como un humano normal. Tal vez no podía regenerarse en absoluto. Si para la próxima vez conseguía una forma de electrocutarlo sin estar yo en el medio, podría detenerlo.

–¿Dónde está ahora? –pregunté. A juzgar por el hoyo en mi estómago supuse que debía llevar varias horas dormido; llevaba aquí ya 48 horas y no había comido nada.

–Se fue –respondió Jess–. Te encadenó, la bajó a ella y se fue –señaló a Stephanie y la miré de cerca. Estaba aterrorizada y callada, echa un ovillo en una esquina con lágrimas marcándole el rostro.

–¿Estás bien? –pregunté. Asintió con la cabeza sin decir nada–. ¿Y qué hay de la mujer en la pared?

Stephanie empezó a llorar.

–¿Los ojos?

–¿Sigue ahí?

Stephanie comenzó a sollozar incontrolablemente.

Cerré los ojos. No sentía… empatía. Ni preocupación. Sentía responsabilidad. Así como la había sentido con el señor Crowley. Juré que Forman no iba a matar a nadie más si podía evitarlo. Lo mataría, y terminarían los asesinatos.

Las tres prisioneras que llevaban aquí más tiempo se tensaron abruptamente, como una criatura de tres cabezas, y escucharon, con los ojos abiertos.

—Está de vuelta —anunció Carly.

Escuché cuidadosamente, pero no oí nada hasta que la puerta principal se abrió. Se escuchó cómo sus pasos atravesaban la habitación arriba nuestro, seguido de un rasguño intenso y sordo. Estaba arrastrando algo. ¿Otra prisionera?

Escuchamos en silencio mientras los pasos avanzaban de la cocina al pasillo y al fondo de la casa. Varios minutos después, regresó a la cocina y escuchamos una explosión de agua en el fregadero. La tubería a la que estaba encadenado retumbó con el ruido del agua corriendo, y un momento después otra tubería, más gruesa esta vez, comenzó a gotear ligeramente mientras el agua se iba por el desagüe. Era como si la casa entera fuera una extensión del mismo Forman, moviéndose y reaccionando a todo lo que hacía. Él nos envolvía. Nos controlaba por completo.

La puerta arriba de nosotros se abrió y la luz inundó el sótano desde la cocina. La silueta de Forman apareció, transformándose lentamente en un cuerpo real conforme mis ojos se ajustaban a la luz.

—Estás despierto —dijo—. Excelente.

Vino rápidamente hacia mí, en una actitud que no era ni amenazante ni cautelosa. Yo estaba demasiado débil como para atacarlo, incluso si quisiera; demasiado aturdido por las drogas y mis dos días de hambruna.

–Hay algo que creo que deberías saber –dijo, poniéndose en una rodilla para alcanzar mis esposas–. Te buscan oficialmente por el asesinato de Radha Behar.

–Yo no la toqué –respondí.

–Hay evidencia forense que sugiere que sí –explicó Forman–, incluyendo tu cabello mezclado con el suyo, y tus zapatos encontrados cerca de la escena. Pero no te preocupes, prácticamente yo estoy a cargo de la investigación y sería muy fácil para mí desviarla hacia otra dirección. Asumiendo, claro, que cumplas con mis requerimientos.

–Quieres saber sobre Makhai.

–Te he dado dos oportunidades –dijo, quitándome las esposas–, y las has desperdiciado. Esta es la tercera. Así que vamos.

Me froté la muñeca y me puse de pie con esfuerzo.

–¿Cuáles dos oportunidades?

–Dos oportunidades para ser tú mismo –explicó–. Para vivir la vida que mereces. No eres uno de ellos –dijo, señalando a las mujeres aterrorizadas–. No eres un juguete; no eres una víctima acobardándose en una esquina. Eres un guerrero, como las leyendas de la antigüedad. Mataste a un dios, John. ¿No quieres ocupar su lugar?

Me tomó del brazo y me jaló hasta las escaleras. Lo seguí vacilante, intentando no apoyarme en él para mantener el equilibrio. Mis piernas no querían responder, y mi cabeza se sentía ligera.

–No soy como tú.

–Nadie lo es –respondió Forman, empujándome hacia las escaleras. Me tomé del pasamanos y traté de subir–. Tampoco había nadie como Makhai –dijo–, y no hay nadie como tú. Eres único y especial. Ahora apresúrate.

Subí las escaleras y me detuve en la cocina, deseando que mis piernas se despertaran mientras Forman cerraba la puerta detrás de nosotros. Era libre, pero estaba demasiado débil como para hacer algo; incluso cuando él estuvo completamente incapacitado, había sido capaz de sentir mis intenciones y protegerse. ¿Eso significaba que solo podía atacarlo accidentalmente? ¿Podía planear algún tipo de accidente?

Sonó el celular y Forman lo sacó de su bolsillo. Vio el número, sonrió y contestó.

–Nadie –dijo–, qué bueno que llamas –pausa–. No, todavía nada. Pero estamos por averiguarlo –giró para mirarme–. Es más fuerte de lo que pensamos, y más débil. No puedo esperar a que lo conozcas –pausa–. Sí, te dije, te llamo tan pronto como sepa. Sé paciente –pausa–. Adiós.

Guardó su celular y señaló al pasillo.

–Después de ti.

Avancé por el pasillo, conservando una mano en la pared para no perder el equilibrio. Me pregunté si había más personas en las paredes, enterradas y selladas para siempre.

–Radha estaba encadenada. Te di mi cuchillo, y te rehusaste a lastimarla. A ella le gustaba, ¿sabes? Ser lastimada. Siempre tenía una sensación de satisfacción cuando terminábamos.

–Eso es porque había sobrevivido –contesté.

–Y ustedes los mortales valoran la oportunidad de sobrevivir –dijo–. Su vida se define por la muerte, y cada vez que la encaran se vuelven más fuertes. Aprenden más, sienten más. Suena estúpido decirlo así, pero *no morir* los hace estar más vivos.

—¿Qué define a los demonios? —pregunté.

—Las cosas de las que carecemos.

Pasamos su habitación y seguimos hacia el cuarto de tortura. Mis piernas estaban recuperando fuerza; la sangre estaba fluyendo con mayor facilidad, y mi equilibrio había mejorado. Me pregunté quién estaba en el cuarto, tenía que ser alguien que conociera. ¿A quién me forzaría a torturar? ¿A mi madre? ¿A mi hermana? ¿A Brooke?

—Tu segunda oportunidad llegó cuando Radha estaba en la fosa —siguió Forman—, y esa hubiera sido fácil: ni siquiera tenías que lastimarla directamente, ni siquiera verle la cara, solo hacer que los cables tocaran la cadena. Hubiera sido generoso de tu parte, de hecho, porque le hubiera salvado la vida. Pero aun así no hiciste nada.

—No quiero hacerle daño a nadie —insistí.

—Continúas diciéndolo —respondió Forman—, pero eso no te detuvo de lastimar a Makhai, y no te detuvo de atacarme en el sótano. Todos tenemos nuestros gustos, por supuesto, y yo tengo que reconocer que no estaba dirigiéndome correctamente a los tuyos. Tú no lastimaste a Radha porque era inocente, y solo hieres a los malvados. Así que te traje a alguien malvado.

Entramos al cuarto de tortura y allí estaba Curt, el atacante de mi hermana, atado, amordazado y completamente a mi merced.

Estaba despierto; tenía los ojos muy abiertos y la boca sellada con una gruesa capa de cinta adhesiva. Sus pies estaban bien sujetos al suelo, donde Forman había hecho unos agujeros en la madera por donde salían gruesas cadenas a través de los soportes del suelo. Sus manos estaban atadas por las muñecas con cuerdas que salían de los hoyos del techo, pero en donde Stephanie había estado colgada sin fuerza, Curt de alguna manera había sido tensado. Tenía los brazos y las piernas en cruz, sostenidos firmemente en su lugar.

Curt me miró fijamente, con los ojos muy abiertos y asustados, lo que sugería que no sabía qué pensar. Había estado desaparecido por casi dos días, seguramente había escuchado al respecto, y definitivamente me veía como un prisionero: estaba cubierto de lodo seco de la fosa, con marcas de quemaduras en mi camiseta y vómito hecho costra en mi ropa, además de que apenas podía caminar. No era difícil adivinar que era un prisionero y una víctima. Y sin embargo estaba aquí, sin atar, y Forman me estaba tratando muy amablemente. Como un igual. Si Curt había escuchado algo de lo que Forman había dicho en el pasillo, estaría aún más confundido.

Y más aterrorizado.

—Aquí está —anunció Forman—. Uno aprende muchas cosas trabajando en la estación de policía, como la forma en la que cierta señora Cleaver llama cada quince minutos para quejarse del abusivo novio de su hija. "Arréstenlo. Enciérrenlo. Mátenlo". Pero no hay mucho que pueda hacer la ley en un caso como este, ¿o sí?

Caminó hacia el tocador y empezó a buscar entre las herramientas.

—Las mujeres en relaciones abusivas, por naturaleza, aceptan el abuso, y la pobre indefensa Lauren estaba demasiado intimidada como para acusar a su abusador formalmente. Hasta les dijo a los paramédicos que se había caído de la cama, ¿puedes creerlo? –levantó un destornillador plano, examinó la punta, y volvió a dejarlo sobre la mesa–. Ellos tampoco le creyeron, pero no había nada que pudieran hacer al respecto: si la víctima dice que no hubo abuso, la ley dice que no hubo abuso. La ley no puede hacer nada –se dio la vuelta y levantó un viejo y sucio bisturí–. Pero tú sí.

Dio un paso hacia mí y me ofreció el bisturí.

–Esto es lo que quieres, ¿cierto? Eres un ángel castigador. No lastimas a quien sea, por cualquier razón, a menos que lo merezcan, ¿y quién lo merece más que Curt? Viste lo que le hizo a tu hermana. Y no creas que se va a detener allí. Se salió con la suya, después de todo, ¿así que qué lo va a detener de volver a hacerlo? Puede abofetearla y golpearla hasta que caiga inconsciente, y siempre se va a salir con la suya. Nada lo va a detener –me puso el bisturí en la mano–. Solo tú.

Curt estaba agitando la cabeza violentamente, con lágrimas en los ojos, pero no lo veía como una víctima; todo lo que podía ver era el rostro de Lauren, rojo, morado y negro. Recordé que Lauren tenía una cortada en el pómulo, justo en el mismo lugar que yo, y me toqué la cara para sentir la costra. Yo merecía la mía, pero Lauren era completamente inocente. Curt la había golpeado a sangre fría.

Me acerqué a él. ¿No era esta la misma decisión que había tomado con el señor Crowley? ¿Hacer que los malos dejaran de lastimar a los inocentes? Le había intentado avisar a la policía, pero los que fueron terminaron muertos. Crowley era una situación con la que la ley no podía lidiar; era yo o nadie.

Lo detuve porque nadie más podía hacerlo, y esta vez también eso era cierto. La ley no podía hacer nada; el único plan que tenía la policía era quedarse sentados a esperar mientras él la golpeaba más, una y otra vez, hasta que finalmente ella decidiera acusarlo. ¿Podía permitir eso y tener la conciencia limpia? No cuando podía detenerlo, para siempre, justo aquí y ahora.

Di un paso al frente.

Pero no, esto era diferente. Crowley era un asesino –un asesino sobrenatural– y matarlo era la única forma de detenerlo. Crowley, al final, ya estaba matando a más de una persona a la semana, ¿cuántas más estarían muertas ahora, seis meses después, si yo no hubiera intervenido? Pero Curt no era un asesino, y su castigo no podía ser la muerte. Era demasiado. No podía hacerlo. Di un paso atrás.

Pero… podía lastimarlo. No tenía que terminar en muerte. A fin de cuentas, había lastimado a la señora Crowley, y ella era mucho más inocente que Curt. Di dos pasos más al frente, lo suficiente como para oler su sudor y escuchar su respiración entrecortada. Había causado dolor, así que su castigo debía ser el dolor. Tenía sentido. Era justo. Golpe por golpe.

Pero, ¿y luego qué?

Me di la vuelta y caminé hacia la ventana; era de noche, y el cielo entre los gruesos pinos era profundo, color azul intenso. ¿Qué sucedería después de que lastimara a Curt? No podíamos simplemente dejarlo ir, o le diría a la gente lo que yo había hecho. Podíamos mantenerlo aquí, encadenado al calabozo; se merecía la cárcel y podíamos darle una. ¿Pero para siempre?

Volteé a ver a Curt una vez más. Tenía los ojos cerrados,

quizá estaba rezando, o quizá simplemente tenía miedo de mirar. Era un monstruo grosero y arrogante; molestaba a todo aquel a quien conocía, insultaba a la mujer que lo amaba, y cuando las cosas se ponían complicadas la golpeaba, con fuerza y sin piedad. Había arruinado vidas, así como Crowley, ¿era un hipócrita por detener a Crowley y no a Curt? Pero si lo de Curt era algo justo, ¿por qué detenerme ahí? ¿Dónde trazar la línea? Y si ninguna línea tenía sentido, ¿por qué preocuparse siquiera en trazar una?

Y más allá de eso, más allá de cualquier razón, se escondía la ineludible verdad de que *quería* hacerlo: quería lastimarlo, hacerlo sangrar, gritar, que yaciera quieto en la perfecta paz de la muerte.

Me acerqué otra vez a Curt, pero alcancé a ver algo de reojo: un pequeño movimiento en el otro extremo de la habitación, no más grande que el ala de una mosca. Giré y vi dos ojos mirando hacia mí, atrapados y silenciosos, observando. Le sostuve la mirada. Nadie sabía quién era, tal vez ni siquiera Forman lo sabía. Parpadeó; era su única forma de comunicación.

¿De dónde era? ¿Qué le gustaba, y qué le desagradaba? ¿Qué amaba y qué odiaba? ¿Quién era ella? ¿Quién era yo?

Mi nombre es John Cleaver. Vivo en el condado de Clayton, en una funeraria a las afueras del pueblo. Tengo una madre, una hermana y una tía. Tengo 16 años. Me gusta leer, cocinar, y una chica llamada Brooke. Quiero hacer lo correcto, sin importar qué. Quiero ser una buena persona.

Pero eso solo era la mitad de mí.

Mi nombre es Señor Monstruo. Tengo una docena de rasgos de conducta que coinciden con los de un asesino serial y fantaseo con violencia y muerte. Me siento más cómodo con cadáveres que con personas. Maté a un demonio, y cada día siento la necesidad de matar otra vez, como un pozo sin fondo en el centro de mi alma.

Cada mitad de mí contradecía a la otra, pero cada mitad era verdadera. Si elegía una estaría negando la otra, y al hacerlo me estaría negando a mí mismo. ¿Había un yo real, en algún punto intermedio?

Había otro yo. Un yo que nunca había observado por mí mismo y solo veía destellos de él a través de los ojos de los demás. No era John el perdedor, John el raro o John el psicópata. Era John el héroe. Cuando hablaba con Brooke y sus amigas, paseando por la fogata, vi que los demás me miraban con respeto y realmente me sentí como un héroe. Quería volver a sentirme así.

Y ser un héroe significaba salvar a Curt, sin importar cuánto lo odiara. Significaba salvar a todas las prisioneras, sin importar cuán difícil fuera. Significaba detener al villano –a Forman–, incluso si tenía que romper mis reglas para hacerlo. Incluso si tenía que lastimarlo e incluso si tenía que matarlo.

Pero ¿cómo podía matarlo si no sabía exactamente cómo funcionaba? ¿Qué había dicho sobre sí mismo y sobre otros demonios? Que se definían a sí mismos por aquello de lo que carecían.

¿Pero de qué carecía él?

Carecía de emociones: no tenía ninguna emoción propia, así que se las robaba a otros. Forman vivía en blanco, era un agujero gigante sin nada que lo llenara. Igual que un asesino serial, tenía una necesidad que exigía ser alimentada, y había construido su vida alrededor de eso; de poder alimentarla a expensas de cualquier otra cosa.

Makhai también se definía por lo que no tenía. Carecía de una identidad propia, así que robaba cuerpos de otras personas, una y otra vez, moviéndose de lugar en lugar y de identidad en identidad hasta que... hasta que dejó de hacerlo. Hasta que un día se convirtió en el señor Crowley, y nunca volvió a cambiar de cuerpo. Algo había cambiado en él, algo profundo, y desde ese día dejó de ser Makhai. Se dejó de definir a sí mismo por lo que carecía y empezó a definirse por lo que tenía. Pero ¿qué tenía? A la señora Crowley.

Tenía amor.

Pensé otra vez en él, no como un demonio, sino como el anciano amable que vivía cruzando la calle. El amor había alejado a Makhai de su vida de muerte y engaño, y le había dado una vida casi normal, una vida que tenía mucho menos, pero significaba mucho más. Forman no lo entendía; no sabía si era capaz de hacerlo. Y sin embargo, de eso se trataba todo esto: Forman quería saber qué le había pasado a Makhai. En realidad él no deseaba que yo lastimara a Curt, solamente estaba intentando que me pusiera de su lado y ganarse mi confianza. Quería que me uniera a él, al punto de que le dijera el secreto por el cual había venido a Clayton.

Él había dicho que el amor era débil e inútil. ¿Sería capaz de entender cuando se lo dijera? El demonio Makhai casi me había vencido porque yo no entendía el amor; ahora Forman tenía la misma debilidad, y quizá pudiera usarla en su contra. Empecé a idear un plan, pero tenía que hacerlo con cuidado, pues hasta el más mínimo indicio emocional me delataría.

–Viniste al condado de Clayton buscando a tu amigo –dije, volteándome hacia Forman–. Dijiste que desapareció hace cuarenta años y no sabías por qué. Bueno, yo sí. Lo hizo por amor.

–No juegues conmigo –respondió Forman, negando con la cabeza.

–Créeme–dije–, de un sociópata a otro: si no entiendes la razón de algo, siempre es el amor.

Lo consideró por un momento. ¿Qué estaba sintiendo de mí? ¿Sabía que tenía una plan? No estaba tratando de mentirle: todo lo que planeaba decirle era la verdad. ¿Aun así podía percibir que había un truco? ¿Podía detectar mi nerviosismo a través de la contaminación de miedo nervioso que llenaba la casa? Lo observé, intentando sentirme tan honesto y de ayuda como me fuera posible.

–Está bien –respondió–. Pruébalo.

–Primero comida –pedí–. No he comido en dos días.

Volteó a observar a Curt, con sus salvajes ojos mirándonos por encima de su mordaza de cinta adhesiva. Dejé el bisturí en el tocador.

–Ya habrá tiempo para él más tarde –dije.

Forman asintió y señaló hacia el pasillo.

–En la cocina, pues. Escuchemos lo que tienes que decir.

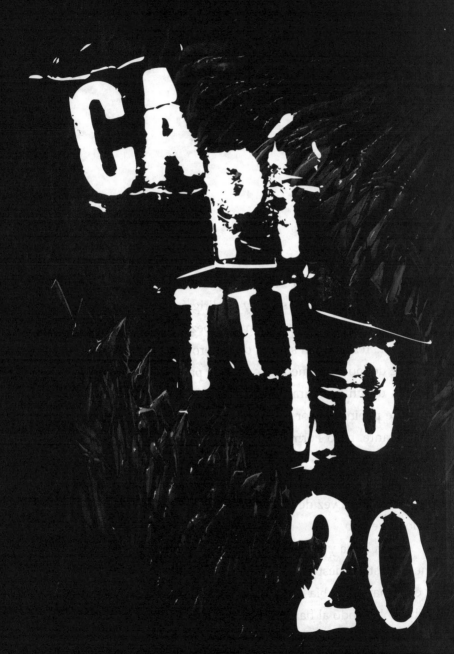

CAPÍTULO 20

—Siéntate —ordenó Forman, apuntando hacia la mesa de la cocina. Me senté y se dirigió al refrigerador. Al abrirlo, no reveló una colección de cabezas y brazos, sino una mundana reserva mal surtida de soltero: jugo de pomelo, un envase de mostaza, media hogaza de pan y una caja con las sobras de un restaurante. Al fondo había un envase con jugo de pepinillos por la mitad. Miré expectante la caja del restaurante, pero Forman tomó la bolsa de pan y la arrojó sobre la mesa.

—No como aquí muy seguido —aclaró—. Prefiero disfrutar las comidas, en vez de sentir lo tristes que están los juguetes todo el tiempo.

Abrí la bolsa y saqué una pieza de pan integral, forzándome a masticar despacio; no quería comer demasiado rápido y enfermarme. Sabía delicioso, pero estaba seguro de que se debía sobre todo al hambre que tenía.

Forman se apoyó en la mesa con los brazos cruzados,

observándome mientras yo comía. Después de un par de bocados volvió a hablar.

—Así que supongo que sabes mucho más de Makhai de lo que dejaste ver —dijo. Estaba actuando extraño, como si debiera estar enojado pero no lo estuviera, pero luego recordé que no se podía enojar a menos que yo me enojara. En ese momento estábamos tranquilos, cautelosos y listos.

Él era una hoja en blanco, y era momento de escribir sobre él. Quería que confiara en mí, así que me concentré en confiar en él; no de fingirlo, ya que estaba seguro de que eso no funcionaría, sino de confiar realmente en él, sentir que estábamos juntos en esto. Me di cuenta de que si me concentraba en él no funcionaba; entendía cómo pensaba, pero no me podía identificar con él. No podía sentir empatía. En vez de eso me concentré en mi propia reacción hacia él y hacia la situación, tratando de sentirme cómodo con las restricciones que Forman le había puesto a nuestra relación. Me acomodé e intenté tratarlo de la manera en que trataba a mi mamá, o a mi amigo Max.

—Me dijiste en el coche —expliqué— que pensabas que Makhai pudo haber tomado el cuerpo del señor Crowley justo antes de morir, lo que tiene mucho sentido porque nunca encontraron a Crowley. Si Crowley hubiera muerto por su cuenta, habría habido un cadáver, pero si murió después de que Makhai tomó su cuerpo, entonces debió de haberse convertido en lodo y desaparecido.

—Parece que estás familiarizado con sus métodos —dijo Forman, asintiendo.

—Lo que no se te ocurrió —continué— fue que Makhai

llevaba siendo Crowley todos estos cuarenta años que llevabas sin encontrarlo.

—Por amor —Forman sonrió sarcásticamente.

—Sí —afirmé—, por amor. Hace cuarenta años Makhai llego aquí estrenando un nuevo cuerpo, listo para estrenar una nueva vida igual que siempre. ¿Cuánto tiempo solía quedarse en un cuerpo antes de pasar al siguiente?

—Un año, máximo —respondió Forman—. Cuando puedes ir a cualquier parte y ser cualquier persona, no hay motivo para quedarte más tiempo.

—Encontró un motivo aquí —dije—. Su nombre es Kay.

Forman se rio con un abrupto resoplido burlón.

—¿Kay Crowley? Makhai es un ser de miles de años de edad. Tuvo reinas y emperatrices a sus órdenes; tuvo esclavas y fanáticas, sacerdotisas y adoradoras. ¿Qué tenía Kay que un historial entero de mujeres hermosas no pudiera ofrecerle?

—Amor.

—¡Ha tenido amor!

—No amor verdadero —dije, inclinándome hacia delante—. Tú ni siquiera sabes lo que es el amor verdadero. Si alguien te ama, Forman, tú lo amas también, y cuando deja de hacerlo tú dejas de hacerlo. No hay compromiso ahí, así que nunca importa realmente. No es real. Pero el amor verdadero es dolor. El amor verdadero es sacrificio. El amor verdadero es lo que Makhai sintió cuando se dio cuenta de que Kay nunca lo iba a aceptar como lo que era, a menos que se convirtiera en algo mejor. Así que renunció a lo malo y se volvió una mejor persona.

Forman se quedó mirándome fijamente.

—¿Cómo puede un sociópata saber algo del amor?

—Porque tengo una madre que da la vida entera para ayudar a unos hijos que no la notan, no la aprecian y no pueden recompensárselo. Eso es amor.

Nos miramos el uno al otro, estudiándonos, pensando. Este era el momento clave, cuando necesitaba pasar de la confianza al anhelo. Necesitaba hacerlo sentir que le faltaba una parte de sí mismo, porque sabía exactamente lo que haría: lo mismo que hacía siempre. Saldría y buscaría la pieza que le faltaba y la traería para quebrarla hasta su sumisión. Era la única forma que tenía de lidiar con el mundo. Mientras él no estuviera, yo podría poner en marcha la siguiente fase del plan.

Pensé en las personas que extrañaba.

—A los humanos no los define la muerte —continué—, y no los define lo que no tienen. Los definen sus vínculos.

Pensé en mi madre, y en todo lo que hacía por mí. Pensé en la forma en la que me había protegido seis meses atrás cuando maté al demonio y ninguno de los dos sabía qué hacer. Pensé en la forma en la que había puesto su vida patas arriba para acomodarse a mí, para ser la persona que ella pensaba que yo necesitaba. Lo odiaba, pero sabía que estaba tratando de ayudar.

—Makhai lo sabía —dije—. Finalmente se había dado cuenta de que había más en la vida que saltar de un cuerpo a otro, de una vida a otra, siempre escapando de todo sin llegar nunca a ningún lado.

Pensé en mi hermana, que quería cuidarme pero ni siquiera sabía cómo cuidar de ella misma. Pensé en ella, llena de magullones y cicatrices, y pensé en cómo pese a eso estaría aún más asustada esta noche cuando se diera cuenta de que

Curt ya no estaba. Era una idiota, pero se preocupaba por las personas.

–Makhai dejó tu pequeña comunidad de demonios porque ya no la necesitaba –afirmé–. Miles de años de existencia sin sentido, de existir sin vivir, y finalmente era libre. Pasó a lo siguiente, y el poder que ganó lo hizo ser mucho más de lo que tú alguna vez serás. Lo llamaste un dios, pero era más que eso al final. Era un ser humano.

Pensé en Kay Crowley, la pequeña anciana del otro lado de la calle, que sonreía, ayudaba y amaba tan incondicionalmente que sacó a un demonio del frío y lo convirtió en un hombre; y pensé en el hombre, en mi viejo vecino con el que crecí, el demonio que había sido un mejor ejemplo para mí que mi propio padre. ¿Cuáles habían sido sus últimas palabras?

Acuérdate de mí cuando me haya ido. Me acordaba de él. Lo extrañaba.

Pérdida y anhelo.

–¡Detente! –gritó Forman, levantándose y recorriendo la habitación, no hacia mí, sino hacia la nada; era un tic nervioso.

Mi plan estaba funcionando.

–Tú no estás aquí por eso –exclamó, agitando los brazos mientras caminaba–. Tú no estás aquí por la tristeza, esa emoción aburrida –caminó hacia la sala de estar y su voz se agitó de nuevo–: ¡Yo no necesito extrañar cosas!

Irrumpió de nuevo en la habitación y tomó la mesa de los lados, inclinándose para gritarme en la cara.

–¿Crees que no he sentido esto antes? ¿Crees que puedes simplemente impresionarme con una nueva emoción y voy a hacerte una reverencia y...? –se puso de pie y se dio la vuelta, luego se rascó la frente, dio un paso hacia el fregadero, y luego regresó.

»No necesito esto –dijo–. Me voy.

Se acercó a mí y yo me eché hacia atrás instintivamente.

–No te voy a… solo siéntate. Voy a ponerte el grillete para que no hagas nada estúpido. Regreso pronto.

Había una cadena gruesa y larga bajo la mesa con un grillete soldado al final, y Forman me lo puso en el tobillo.

–Regreso pronto –repitió–, y más te vale estar sintiendo algo más interesante cuando llegue.

Se dio la vuelta y salió de la cocina hacia la sala y fuera de la casa, cerrando cuidadosamente la puerta detrás de él. El coche rugió al encenderse y se alejó. Estaba solo.

Momento para la fase dos.

Forman había actuado como si estuviera huyendo de mi tristeza, pero yo sabía que no: la última vez que lo obligamos a sentir tristeza había bajado y nos había atacado. Si todo lo que quería era una nueva emoción, simplemente nos habría vuelto a atacar. No, Forman se había ido para secuestrar a alguien, justo como lo pensé, probablemente a Kay Crowley o tal vez a mi mamá. Una vez que lo entendí, resultaba fácil de predecir; le dije que le faltaba algo y ahora había ido a conseguirlo.

Tenía una hora, tal vez menos, asumiendo que fuera directo con Kay y la trajera de inmediato. Necesitaba estar listo cuando volviera, pero no podía atacarlo directamente porque lo sentiría; incluso cuando estaba completamente abrumado, como en el sótano, podía salir de eso en un instante. La única forma de lastimarlo era hacerlo indirectamente, tendiéndole una trampa. Me levanté y probé la cadena: estaba firme, pero me daba alrededor de seis metros de movimiento. Esperaba que fuera suficiente.

La cocina era un buen lugar para una trampa porque tenía la mayor fuente de electricidad en la casa: el horno. Todo lo que necesitaba hacer era preparar la trampa para cuando volviera, pero ¿con qué? Arrastré mi cadena hacia la alacena, comenzando en la orilla más lejana, donde tenía que estirar al máximo mi cadena y extender el brazo. La mayoría de los compartimentos estaban vacíos, los pocos platos que tenía estaban casi todos en el fregadero, esperando a ser lavados. Una alacena tenía platos desechables y una caja de tenedores de plástico; otra, una sola taza polvorienta de cerámica, lo que sugería que nunca se usaba. Las alacenas de debajo de la encimera eran más abundantes: tenían una serie de ollas y sartenes oxidadas, una cafetera, y, por alguna razón, una caja llena de periódicos viejos.

La misma encimera tenía algunos objetos que me podían llegar a servir: un bloque de cuchillos medio lleno, un tostador, un microondas. Abrí las gavetas y escarbé entre los montones de cubiertos de juegos distintos, viejos paquetes de baterías y una mezcla aleatoria de herramientas y lápices de madera. Había dos destornilladores; podía ser capaz de desarmar algo…

Había sangre en el destornillador.

Miré más de cerca; había sangre en todas las herramientas. Esta no era solo una gaveta de utensilios, era otra estación de tortura. Saqué un cuchillo del bloque y lo examiné cuidadosamente. Había sido lavado, pero no muy bien; los dientes del borde tenían remanentes oscuros de sangre vieja.

Claro que sabía que él intentaría torturar a quien sea que trajera, pero ahora estaba considerando la posibilidad de que lo hiciera aquí, en la cocina. Su sótano estaba lleno, y su cuarto de tortura estaba ocupado; si lo hacía aquí me forzaría a mirar o incluso a ayudar sin tener que desencadenarme. Y tenía un juego completo de herramientas: cuchillos y destornilladores, picahielos y pinzas, incluso un martillo. Todo lo que necesitaba hacer, entonces, era electrificar una herramienta que supiera que iba a buscar, y luego sentarme tan quieto y sin emociones como me fuera posible hasta que lo tocara; no podía dejar que supiera, a través de mi excitación o ansiedad, que estaba a la espera de algo. Tenía que estar completamente muerto.

Pero ¿qué herramienta podía electrificar y cómo?

Podría atar un cable a una herramienta en la gaveta y conectarla a la salida eléctrica del horno, pero no había forma de garantizar qué herramienta iba a tomar primero. Busqué un reloj de pared, pero no había ninguno; no tenía idea hacía cuánto tiempo se había ido, o en cuánto tiempo regresaría. Tenía que moverme rápidamente, y no podía pensar en nada más, así que tendría que ser la gaveta de las herramientas.

Saqué la cafetera de la alacena y tomé un cuchillo del bloque. El cable de la cafetera medía por lo menos un metro de largo, quizá uno y medio; esperaba que fuera lo suficientemente largo como para que alcanzara desde la gaveta abierta hasta la salida detrás del horno. Usé el cuchillo para cortar el cable, justo en la base de la cafetera, y empecé a pelar el recubrimiento plástico de los cables. Mientras hacía eso, me di cuenta de que el metal de la hoja del cuchillo se extendía hacia el mango; era una sola pieza de metal, cubierta en un extremo por dos trozos de madera clavados al metal. Si la punta del cuchillo tenía corriente, esta iría directamente a quien tocara el mango. Me levanté y miré el bloque de cuchillos: había un hoyo en la parte inferior por donde se asomaba la punta del cuchillo más grande, como de carnicero. Eso podría funcionar mucho mejor que la gaveta: era más fácil de manipular, y más fácil asegurarse de que tocara el correcto. Saqué el cuchillo grande, metí el resto en el fregadero con los platos sucios y me senté a trabajar.

Primero, necesitaba una forma de asegurar el cable al cuchillo. Puse el cuchillo de carnicero en el suelo, en una esquina donde cualquier daño que pudiera hacerle al suelo quedara escondido por mis cadenas. Alineé el picahielos perpendicularmente, justo en la punta del cuchillo, y lo golpeé con el martillo. Nada. Le volví a pegar, una y otra vez, cambiando el picahielos por un destornillador Phillips y seguía sin conseguir nada; la hoja del cuchillo era demasiado fuerte para agujerearla. Levanté el cuchillo y lo clavé contra la orilla de acero duro de la sartén, una y otra vez, hasta que por fin empezó a abollarse. Cuando la abolladura se veía suficientemente profunda, enrollé el cable expuesto a su alrededor y lo até.

Con un cuchillo más pequeño, corté el tomacorriente de la otra punta del cable y lo pasé por debajo del bloque de cuchillos. El cable salió sin problemas. Pelé diez centímetros de plástico de la punta, puse el bloque en la encimera y pasé el cable que colgaba a un lado detrás del horno. Me asomé a la ventana.

Nada aún.

Separé el horno de la pared, desconecté el cable del horno y envolví mi cable pelado alrededor del diente del tomacorriente.

Una vez que me aseguré de que todo estuviera listo, conecté el horno a la pared, creando un conductor de electricidad que iba desde la toma de la pared hasta el mango del cuchillo. Volví a pegar el horno a la pared y examiné la escena. Todo se veía normal, excepto por unos pocos centímetros de cable que salían de la parte inferior del cuchillo al hueco junto al horno.

Busqué a mi alrededor algo con lo que pudiera esconderlo y encontré un trapo medio húmedo en el fregadero. Lo llevé a la encimera y lo puse en la parte superior del cable; solo esperaba que no se diera cuenta de que estaba fuera de lugar.

Miré por la ventana y vi el coche en la carretera, dando vuelta en la última curva. *No entres en pánico*, me dije. *Mantente tranquilo, pero no demasiado. Sentirá el miedo de las mujeres, igual que siempre que llega. Solo mimetízate con eso.* Me permití sentir un poco de miedo, pero no nerviosismo, no desesperación: me forcé a caminar lentamente por la habitación, recogiendo las herramientas que había usado y poniéndolas de vuelta en sus gavetas con precisión calmada y mesurada. *Suficiente miedo como para verme normal, pero no para destacar.*

Cerré las gavetas y caminé hacia el refrigerador, sacando el jugo de pomelo y llevándolo a la mesa: si trataba de verme demasiado inocente sospecharía. Abrí el jugo y tomé un trago directo de la botella; era ácido y fuerte, e hice una mueca. Escuché cómo estacionaba el coche y lo apagaba. Tomé otro trago y me limpié la boca con el dorso de mi mano. La puerta principal se abrió, aunque no podía ver desde mi asiento en la mesa.

—Gracias de nuevo por venir —dijo Forman mientras abría la puerta—. Estoy seguro de que entiendes la necesidad de mantener la discreción, y normalmente no lo haríamos en absoluto, pero él específicamente lo pidió.

–¿Seguro que está bien?

No. ¡No! Conocía esa voz y no era ni Kay ni mi mamá. Forman entró a la cocina, sonriendo como el diablo.

–Hola, John –saludó–. Traje un nuevo juguete para nosotros.

La mujer entró. Era Brooke.

CAPITULO 21

¡John! –gritó Brooke, medio sonriendo y medio mirando en estado de shock. Seguramente lucía terrible–. ¡Estás vivo!

–Brooke –dije, levantándome lentamente–, no deberías estar aquí.

–No debes confiar en un extraño –aseguró Forman–, pero todo el mundo confía en un policía.

Brooke frunció el ceño y arrugó la frente. Estaba confundida.

–¿Qué?

No puedo hacer esto, pensé. *No puedo seguir con esto, no con Brooke.*

–Brooke –dije, dando un paso hacia Forman–, date la media vuelta y vete.

Él sentiría mis emociones y me atacaría, pero al menos ella podría irse. La cadena raspó el suelo mientras me movía, ella inclinó la cabeza para ver qué hacía ese ruido y vio cómo se movía bajo la mesa.

–¿Qué está pasando? –preguntó.

–¡Corre! –grité y me lancé hacia Forman, pero él estaba perfectamente preparado para el ataque y me golpeó en el rostro. Me tambaleé hacia atrás y Brooke gritó. Se dio vuelta para echarse a correr, pero Forman saltó y la tomó del pelo, haciéndola detenerse con un tirón violento que la hizo caer al suelo. Corrí otra vez hacia él pero ya había sacado la pistola y me apuntó directamente al estómago.

Detente, me dije. *El plan todavía puede funcionar, pero solo si estoy vacío. No puedo sentir nada. Estoy completamente vacío.*

Brooke estaba llorando, luchando para irse, pero se detuvo abruptamente cuando Forman blandió su arma y la puso contra su barbilla.

–Traición –dijo–. Realmente es la más dulce, John, justo como te dije.

Brooke giró para mirarme, con los ojos cada vez más abiertos, y Forman inhaló profundamente, como si se tratara de un lujo.

–Aquí está otra vez.

Cerró los ojos, apretando los dientes. Brooke y Forman empezaron a llorar al unísono, sincronizados casi perfectamente.

Brooke estaba aterrorizada ahora, el miedo literalmente la había paralizado, y Forman la tomó con más fuerza, tirando más duramente de su cabello.

–¡No! ¡No! ¡No! –gritó Forman, luego sacó su arma bruscamente hacia un lado y le dio un golpe a un lado de la cabeza. Le soltó el cabello y ella se tropezó con la pared, aferrándose a ella desesperadamente para mantener el equilibrio.

Nada, pensé, alejando el enojo. *Atacarlo en este momento no va a servir de absolutamente nada. Solo espera, y no sientas nada.*

—Por favor —pidió Forman, recuperando la compostura—, toma asiento.

Estaba usando mi neutralidad para recuperarse de las intensas emociones de Brooke de traición y miedo. Hizo un gesto con la pistola hacia la mesa. Brooke se aferró a la pared con una mano, frotándose la cara con la otra. No se movió.

—Aprenderás pronto —dijo Forman— que no me gusta pedir las cosas dos veces.

Brooke lo miró, con los ojos abiertos llenos de miedo, luego me miró a mí. Después de un momento se sujetó del respaldo de la silla y la sacó, sentándose con cautela.

—¿Qué nos vas a hacer? —preguntó.

—Lo que se me antoje —respondió Forman, haciendo un gesto para que yo también me sentara. Tomé asiento en la silla del lado opuesto de Brooke, mirando de frente la sala. La encimera y el cuchillo de carnicero electrificado estaban en la esquina de mi campo de visión.

—Esa es la respuesta corta —agregó Forman—. La respuesta larga es que le voy a enseñar a John una muy importante lección sobre el engaño. Verás, él quería que yo fuera por Kay Crowley para que pudiera aprender algún tipo de tontería valiosa sobre el amor, creo; y pensó que estaba siendo muy astuto al respecto. Estaba manipulándome, y no me gusta que me manipulen, así que tú, señorita Watson, vas a ayudar a demostrar las consecuencias.

—Yo no te voy a ayudar con nada —contestó Brooke. Estaba un poco sorprendido de que le diera tanta batalla, y negué con la cabeza, casi imperceptiblemente. Entre más peleara contra él, más lo disfrutaría, igual que con Radha.

–De hecho sí lo vas hacer –dijo Forman, abriendo las gavetas–. Pero lo bonito de este tipo de ayuda es que no tienes que mover un dedo –sacó un par de pinzas de punta chata y las abrió y cerró enfrente de ella–. Yo voy a hacer todo el trabajo.

Brooke se puso pálida y supe que finalmente había entendido la situación. Se puso de pie, empujando hacia atrás la silla, y me miró con desesperación. Negué con la cabeza.

No salgas de esta habitación, pensé en silencio, *tienes que quedarte aquí.*

–Siéntate –le ordenó Forman. Todavía tenía la pistola en la otra mano y la usó para persuadirla de que se volviera a sentar. Brooke negó con la cabeza y se apoyó contra la pared.

–¿Puedes hacerla entrar en razón, John? –dijo Forman con una sonrisa malvada y feroz.

No quería hacerle esto a ella. Podía hacérselo a Kay, a mi mamá, a cualquier otra persona de mi vida, pero no a Brooke.

–Forman es un psicópata –expliqué, intentando mantener un tono de voz calmo y constante. Si le daba cualquier tipo de esperanza, incluso si solo le decía que confiara en mí, Forman se daría cuenta de que tenía un plan–. Mató a una mujer ayer, y tiene cuatro más en el sótano. Yo llevo aquí atrapado dos días, y sé lo suficiente como para decirte que entre más te resistas, peor se pone.

–No –dijo Brooke, sacudiendo la cabeza. Estaba llorando–. No.

–Por favor, siéntate –le pedí–. Por favor.

Brooke se sentó y Forman me lanzó las llaves.

–Quítate las cadenas y pónselas a ella.

Abrí la cerradura del grillete y lo llevé a donde estaba Brooke. Me miró con ojos vacíos, como si no pudiera entender qué estaba sucediendo.

—Lo siento mucho —dije.

—No solo del tobillo —ordenó Forman, con la respiración acelerada. Estaba sintiendo la inyección de las emociones de Brooke: la traición que sentía con cada orden que yo seguía, y con cada maldad con la que cooperaba—. Envuélvela con las cadenas y dale vueltas en el respaldo de la silla tantas veces como se pueda.

Quería decir algo —lo que fuera—, pero no me atreví. Me forcé a mantenerme tranquilo. *No reveles nada, ni siquiera frente a ella.*

—¿Por qué haces esto? —preguntó Brooke—. ¿Por qué lo ayudas?

—Es más fácil así —respondí. No quería alargar esto más de lo necesario, así que le apreté las cadenas con firmeza para asegurarme de que Brooke no pudiera escapar. Forman lloriqueó detrás de mí, y supe que Brooke se había sentido más traicionada. Incluso si sobrevivíamos a esto, probablemente me odiaría para siempre.

—Excelente —dijo Forman, con los ojos medio cerrados. Su sonrisa era amplia y lujuriosa, como si estuviera borracho. Tomó las pinzas de nuevo—. Ahora, que empiece la fiesta.

Guardó su pistola y dio un paso hacia Brooke, moviendo las pinzas con impaciencia. No podía simplemente dejar que la lastimara. La idea era electrocutarlo antes de que empezara la tortura, pero ¿por cuántas herramientas iba a pasar antes de llegar al cuchillo? Tenía que pensar en algo.

—Espera —le pedí. Forman se detuvo. ¿Qué podía decir? Quería que tocara el cuchillo, pero cualquier cosa que dijera iba a sonar falso y detectaría mi mentira inmediatamente.

—¿Quieres detenerme? —preguntó Forman. Su voz era más aguda ahora; me sentía ansioso y preocupado, y eso significaba que él también. No tenía mucho tiempo.

Solo había una cosa que podía decir sinceramente; solo una cosa que lo llevaría al cuchillo y sería totalmente honesta. Miré a Brooke, pálida, aterrorizada y hermosa.

—Quiero hacerlo yo —dije.

Su rostro se marchitó; el miedo y la confusión se transformaron en una mueca devastadora. Igual que Forman, alejé sus emociones y las mías. Ignoré todo lo que estaba sucediendo en el presente y me concentré en el pasado. Recordé mis sueños de ella, cortándola, lastimándola, haciéndola total y completamente mía. Todo lo que había tratado de ignorar y evitar lo acepté ahora, dejándome llenar con pensamientos de su suave piel, sus gritos agudos y su cuerpo pálido yaciendo quieto e inmóvil.

—Sí —aceptó Forman. Él lo estaba sintiendo también: la anticipación prohibida, la necesidad palpitante de mi deseo, la dulce agonía de su terror. Esto era lo que él había querido desde el principio: sentir las emociones de un torturador, no solo de la víctima—. Sí —repitió Forman, dando un paso hacia atrás—. Hazlo. Es tuya.

Me acerqué, viendo sus ojos clavados en mí, sintiendo el zumbido eléctrico en el aire mientras nuestras mentes se conectaban con más intensidad y pureza que cuando nos habíamos tomado de la mano, más plenamente de lo que nunca había estado conectado con alguien. La adrenalina del miedo era como una atadura entre nosotros, como un conducto de una mente a otra. No, era más profundo que la mente; no había palabras, no había pensamientos, solo estábamos *nosotros*, Brooke y yo, juntos por fin.

Me incliné hacia ella para olerla: un toque de perfume, un toque de fruta de su shampoo, un aroma limpio y fresco de jabón de lavar. Era mía ahora. Toda mía.

–Pásame el cuchillo.

–Sí –dijo en voz baja. Dio uno, dos, tres pasos detrás de mí y en ese momento las luces se apagaron y él gritó, un gruñido de tono bajo a través de sus dientes apretados. Brooke gritó con él con un tono agudo y yo saboreé el sonido como un arroyo de agua cristalina. Había un olor a carne quemada y Brooke negó con la cabeza.

–Ayúdame, John, por favor ayúdame.

¿Por qué necesitaba ayuda? ¿Qué era? Había algo que se suponía que yo debía hacer. Era Brooke. Se suponía que yo debía cortarla; ella quería que yo la cortara… No, no era eso en absoluto. Me giré y vi a Forman, con el cuerpo rígido, su mano todavía en el cuchillo de carnicero, y me acordé. *Era mi trampa. Yo realmente no quería lastimar a Brooke, ¿cierto? Era solo una trampa para Forman.*

No podía tocarlo, o yo también me electrocutaría. Había una sartén en la alacena inferior con un mango de plástico; podía usarla. Lo rodeé con cuidado, tomé la sartén de la alacena y la levanté como un garrote.

–John, ¿qué estás haciendo? –preguntó Brooke con desesperación.

–Me aseguro –respondí, y estrellé la sartén contra su rostro. Se cayó de espaldas, soltando el cuchillo y golpeando el suelo. Brooke gritó, y yo brinqué hacia el cuerpo de Forman, parándome junto a él con la sartén levantada. Me miró, con los ojos apenas abiertos. Sonrió con una sonrisa lenta y dolorosa.

–Te gané –le dije–. Estás perdido.

–Y por... –tosió, áspera y dolorosamente, tenía la voz carbonizada y negra– ...por primera vez en... diez mil años –volvió a toser– siento que yo gané.

Lo golpeé otra vez con la sartén y se quedó inconsciente.

–¿Qué está pasando? –gritó Brooke, histérica–. ¿Qué está pasando?

–No sé cuánto tiempo esté inconsciente –respondí, dejando a un lado la sartén–. Tenemos que apresurarnos.

–¿Qué?

Las llaves seguían en la mesa y corrí a quitarle las cadenas. Se las quitó con violencia como si fueran cosas vivas, tentáculos intentando comérsela viva.

–Sé que estás asustada pero necesito que confíes en mí –le pedí–. ¿Confías en mí?

–Ibas a...

–No –respondí–, era una trampa para Forman. Ahora escúchame.

Arrastré las cadenas hacia Forman y empecé a encadenarlo, pasándolas por sus brazos y piernas, haciendo mi mejor esfuerzo para que quedara completamente inmovilizado en caso de que despertara. Su mano era un bulto ennegrecido de carne cocida.

–Todo lo que dije de la casa era cierto –le dije a Brooke–.

Hay cuatro mujeres abajo, y el novio de Lauren está amarrado atrás. Necesitamos un cuchillo.

Le puse el grillete a Forman en la pierna y caminé hacia la encimera. Brooke estaba observando el cuchillo de carnicero con asombro y extendió la mano. Tiré el bloque con cuidado y señalé el cable que había en la parte inferior.

–No lo toques.

Saqué un cuchillo de carne del fregadero y llevé a Brooke al cuarto del fondo donde Curt colgaba del techo. Estaba despierto, pero a duras penas; cualquiera que fuera la droga que le dio Forman, era una poderosa. Le pasé a Brooke las llaves y apunté a las esposas en los pies de Curt; ella se puso de rodillas y tomó la llave torpemente del llavero, todavía aterrorizada, mientras yo le cortaba las cuerdas.

–Despierta, Curt –exclamé, sacudiendo su hombro mientras cortaba las cuerdas–. Te vamos a liberar y necesitamos que te pares. ¿Puedes mantenerte de pie?

No asintió, pero estiró los pies y se levantó, apoyándose repentinamente ante la pérdida de sostén cuando las cuerdas cedieron. Corté la primera cuerda y dejó caer su brazo como si pesara una tonelada, pero no se cayó. Corté la otra cuerda justo cuando Brooke terminaba de abrirle las esposas y Curt se quitó la cinta adhesiva de la boca. Estaba despertando.

–Salgamos primero –dije, poniendo su brazo sobre mi hombro. Era un hombre enorme, y se apoyó en mí pesadamente, haciendo que yo me tambaleara con él hacia la puerta y por el pasillo. Ya en la cocina, se tropezó con el cuerpo encadenado de Forman y unos cuantos pasos después regresó a darle una patada sólida en el vientre. Lo aparté.

—Salgamos —repetí—. No sé cuánto tiempo tenemos.

Había más espacio aquí, y Brooke tomó a Curt del otro brazo para guiarlo a la puerta principal. Dejé que ella se lo llevara y lo solté.

—Llévalo afuera —dije—, voy por las mujeres.

Brooke asintió. Tomé las llaves de su mano y fui hacia la puerta del sótano. Forman seguía inconsciente. Abrí el candado. Estaba a punto de tirarlo, pero lo pensé mejor y se lo puse en las cadenas a Forman, manteniéndolo mucho más inmovilizado.

—¡Levántense! —grité, abriendo la puerta del sótano y prendiendo las luces—. Nos vamos, y nos vamos en este instante. ¿Todas pueden caminar?

Las cuatro mujeres me miraron en estado de shock, poniéndose de pie dolorosamente. Ninguna de ellas tenía zapatos y la ropa les colgaba, delgada y hecha jirones, en sus cuerpos demacrados. Stephanie era la más saludable, pero sus heridas eran más recientes y fue la que más tardó en levantarse.

—¿Qué está sucediendo? —preguntó Carly. La desencadené primero.

—Forman están inconsciente —respondí, moviéndome hacia Jess—, y está atado. Puede ser que esté muerto para siempre, o puede ser que se levante en cualquier segundo. No sé cómo funciona.

—¿A qué te refieres?

—No importa —dije, desencadenando a Melinda—. Solo suban y salgan. Podemos tomar su coche para ir al pueblo y llevarlas a la policía y al hospital. ¡Vayan!

Le quité las cadenas a Stephanie y la ayudé en las escaleras.

–¿Sabes por qué hizo esto? –susurró.

–No lo sé –negué con la cabeza.

Seguí a las mujeres hacia arriba y me encontré con Brooke en la cocina.

–Llévalas afuera –le pedí–, necesito rescatar a una más.

–Necesitamos llamar a la policía –dijo Brooke–. No tengo mi teléfono, y no encuentro ninguno.

–Forman tiene un celular –recordé, y me incliné hacia su cuerpo. Atravesé las cadenas con la mano, luchando para llegar al bolsillo de su abrigo y finalmente logré pescar su teléfono. Se lo pasé a Brooke junto con las llaves.

–Enciende el coche –dije–. Incluso después de que llamemos a la policía, necesitamos salir de aquí tan pronto como podamos.

Me dirigí hasta el cuarto de tortura, pero un olor distinto llamó mi atención. Lo había olido antes, varias veces, y nunca se me olvidaría: acre y áspero, como una nube cáustica invisible. Me di la vuelta.

Forman se estaba derritiendo.

Su cuerpo parecía colapsarse dentro de las cadenas, silbando, hundiéndose y encrespándose como un papel en el fuego. En pocos segundos ya no tenía piel, dejando un traje ennegrecido envuelto en cadenas y manchado por ceniza grasienta.

–Exactamente como Crowley.

Dudé, titubeando sobre si acercarme para tocarlo, pero me alejé y retomé mi camino hacia el pasillo. Necesitaba rescatar a la mujer de la pared. Me dirigí hacia el cuarto de tortura donde otro aroma me detuvo: humo de leña y gasolina. Algo estaba quemándose. Escuché gritos ahogados desde el exterior y de repente la ventana de la cocina estalló en una lluvia de vidrio. El olor a gasolina era abrumador y oí gritar a Brooke.

—¡John sigue ahí! ¡Lo vas a matar!

Corrí hacia la puerta principal, tropezándome en las escaleras. Las mujeres estaban acurrucadas juntas, llorando y gimiendo como si estuvieran más asustadas ahora de lo que estaban en el calabozo. Corrí hacia ellas pero algo me pegó por atrás, tirándome.

—¡John! —gritó Brooke.

—¡Él es parte de esto! —gritó una voz profunda. *Curt*—. Él trabaja con él. Son cómplices.

Intenté levantarme pero Curt me volvió a pegar, con algo duro y metálico. Una lata de gasolina.

—¡Está tratando de ayudar! —gritó Brooke—. ¡Él fue el que nos sacó de todo esto!

Había llamas detrás de Curt: la casa estaba quemándose. Dio un paso hacia mí y levantó la lata de gasolina.

—Iba a cortarme —respondió Curt—. Iba a torturarme, los dos iban a hacerlo. También te lo iban a hacer a ti, escuché todo.

Brooke abrió la boca, pero no dijo nada. Había estado a punto de atacarla, y ella lo sabía. Sus ojos se oscurecieron, y supe que estaba recordándolo: incluso si sabía que era una trampa, también sabía, en ese momento, que no estaba segura de si yo era bueno o malo. Curt se aprovechó de su titubeo y volvió a estrellar la lata de gasolina contra mi cabeza, haciéndola sonar dolorosamente. Mi visión se oscureció y caí al suelo.

—¿Quieres asegurarte de que ese cabrón está muerto? —gritó, su voz sonaba a kilómetros de distancia—. ¡Quema el lugar entero!

Hubo un estallido y un nuevo rugido de la flama.

–No todavía –dije, demasiado débil para moverme–. Hay una mujer en la pared.

Luego el sonido se apagó, el mundo dio vueltas, y todo desapareció.

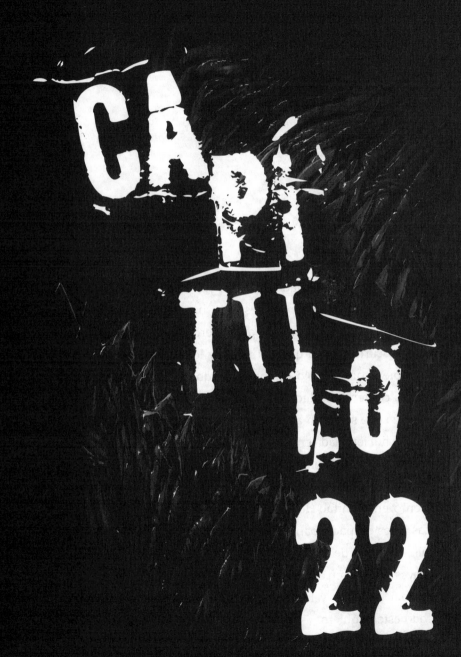

CAPITULO 22

Esta vez no soñé nada. Era solo yo, flotando, rodeado de interminables extensiones de… bueno, nada. Supongo que era negro, si cuenta de algo, pero en el sueño eso no se me ocurrió: sabía que era nada, y lo extraño era que estaba bien con eso. No estaba asustado ni nervioso ni triste, estaba contento. Y algo más. Estaba emocionado.

Creo que sabía, en alguna parte de mi mente, que solo porque no hubiera nada en ese momento, no significaba que nunca habría nada en absoluto. Solo significaba que tenía que elegir.

Me desperté en una habitación de hospital, en algún momento en la mitad de la noche. Estaba oscuro y silencioso. Las luces parpadeaban detrás de mí, reflejándose en la pantalla apagada de la televisión en la pared de enfrente. Voces suaves flotaban en el pasillo, silenciosas y distantes. Las cortinas estaban abiertas y la luna brillaba débilmente en el cielo. Todo estaba quieto.

Mi mamá estaba dormida en una silla a mi lado, enrollada

en una delgada cobija de hospital que subía y bajaba suavemente con su respiración. Su mano estaba estirada, reduciendo la brecha entre la silla y la cama, sosteniendo la barandilla lateral de forma protectora. Tenía recogido el cabello, con algunos mechones sueltos que colgaban sobre su rostro como jirones de nubes oscuras. Su cabello parecía más gris bajo la luz de la luna, y su cara más arrugada y triste; su cuerpo pequeño y frágil.

Deseé, solo por un momento, ser como Forman y poder meterme en ella para sentir lo que ella estaba sintiendo. ¿Estaba triste? ¿Feliz? ¿Importaba? Estaba aquí. No importaba lo que hiciera yo o cualquiera, ella me iba a querer. Nunca me iba a dejar.

Me giré para dormir.

Cuando desperté a la mañana siguiente, mamá seguía aquí, recogiendo un plato de desayuno de hospital. Había otras personas en la habitación también: un doctor y un policía, deliberando en voz baja en una esquina.

–¡Está despierto!

Volteé y vi a Lauren, levantándose de otra silla y caminando hacia mi cama. Mamá prácticamente saltó de su silla y me tomó la mano.

–John –dijo–, ¿puedes oírme?

–Sí –respondí con voz ronca. Tenía la garganta seca e hinchada y me dolía al hablar.

–Miren quién está despierto –dijo el doctor, acercándose rápidamente. Tomó una linterna de bolsillo y me alumbró los ojos, sosteniendo cada uno con su pulgar. Parpadeé cuando me soltó y él asintió.

–Bien. Ahora quiero que me digas tu nombre.

–John... –tragué saliva y tosí–. John Wayne Cleaver.

–Excelente –dijo el doctor, y apuntó a mi mamá–. ¿Reconoces a esta mujer?

–Es mi mamá.

–¿Está verificando su memoria? –preguntó mamá.

–Su capacidad de habla, más que nada –explicó el doctor–. Aunque su memoria parece no tener problemas.

–¿Qué pasó? –pregunté con voz áspera.

El oficial Jensen, papá de Marci, miró a mi mamá, luego a Lauren, luego otra vez a mí.

–Curt Halsey está bajo custodia –explicó–, por atacarte, entre otras cosas. Clark Forman, hasta donde sabemos, ha fallecido.

–No ellos –dije–, ¿qué pasó con la chica?

–Brooke está bien –dijo mamá, tomándome la mano.

–No –repetí, cerrando los ojos. Me estaba poniendo demasiado ansioso y estaba empezando a sentirme débil otra vez–. Había otra mujer, atrapada en la pared. ¿Qué le pasó a ella?

–Se encontraron restos en las cenizas de la casa –dijo el oficial Jensen–, pero no los hemos identificado todavía. Uno de los cuerpos parecía estar aprisionado en la pared –hizo una pausa–. Lo siento.

No había podido salvarla. Abrí los ojos otra vez.

–¿Todas están bien?

–Las mujeres que rescataste están aquí en el hospital –aclaró el doctor–, aunque la mayoría van a ser transferidas hoy. Nuestras instalaciones son pequeñas, desafortunadamente, y las pueden cuidar mucho mejor en la ciudad.

–Pero a ti te mantendremos aquí –dijo mamá, acariciándome la mano–. No te preocupes.

—Técnicamente —interrumpió el Oficial Jensen—, te mantendremos aquí bajo custodia de protección. No hemos confirmado que tu secuestrador esté muerto, así que en parte es por tu propia seguridad, pero… —miró a mi mamá otra vez. Ella frunció el ceño—. Me temo que tú también estás acusado de numerosos crímenes, incluyendo… —hizo una pausa— …el asesinato de Radha Behar.

—No puedes creer que… —dijo mamá, pero el Oficial Jensen la interrumpió.

—Ya se lo expliqué a tu mamá varias veces —continuó—, y te lo digo a ti ahora: no te preocupes por eso. Las mujeres que rescataste han proporcionado bastantes testimonios a tu favor. Tenemos que revisar un par de cosas todavía, pero en este punto ya casi todo es papeleo. Eres un héroe, John. Debes estar orgulloso. Ahora descansa un poco —dijo sonriendo y se fue con el médico. Salieron al pasillo, hablando en voz baja.

—Eres un héroe —repitió mamá, apretándome la mano y besándome la frente—. ¡Salvaste seis vidas en esa casa! ¡Seis! Claro, una de ellas era la de un imbécil —volteó a ver a Lauren—, pero eso es lo que lo hace tan bueno. "Ama a tus enemigos".

Lauren negó con la cabeza y me sonrió.

—Y no te preocupes por Curt —dijo—. Hemos más que terminado.

—Seis vidas —repitió mamá.

Pero yo estaba tratando de salvar siete.

Di mi declaración varias veces, dejando fuera la parte de que Forman era un demonio. En vez de eso les dije todo lo que sabía de su historia de torturas, centrándome específicamente en la casa: las cadenas en el sótano, la fosa en el suelo, el cuarto de tortura arriba, e incluso las paredes reforzadas en el clóset. Las declaraciones de las otras prisioneras corroboraron la mía, y mientras la policía cotejaba nuestros testimonios y descubrían las identidades de las otras mujeres que Forman había matado, empezaron a completar las piezas de cuándo y cómo trabajaba. Al final, terminaron vinculándolo a casos de docenas de personas desaparecidas, todas mujeres, y concluyeron que Forman había mantenido todo escondido gracias a su posición en el FBI. Si hubieran sabido lo que yo sabía –que Forman tenía miles, tal vez decenas de miles de años de edad–, habrían sabido que la decena de crímenes con la que lo habían relacionado era solo una pequeña fracción del trabajo de toda su vida. Había torturado y matado durante siglos.

Pero ahora estaba muerto.

Al día siguiente me liberaron, tanto del hospital como de la custodia de la policía. Las acusaciones de Curt de que yo era el cómplice de Forman fueron descartadas casi de inmediato, por falta de pruebas. Aunque más concluyente que eso fueron los testimonios de las mujeres en el sótano, que explicaron de manera muy convincente no solo que Forman había matado a Radha, sino que yo casi había muerto tratando de detenerlo. Todo sumaba a una heroica representación de John el Valiente, el asesino de dragones, que se aventuró a ir a la mazmorra más oscura de la bestia y rescató no a una sino a cinco princesas. Una historia como esa normalmente saldría en las noticias y probablemente llegaría a los noticiarios nacionales, pero tenía suerte: las historias de Jess y Carly sobre haber sido retenidas en otra casa, donde una persona diferente les daba de comer, hicieron que la policía se preocupara de que el verdadero cómplice de Forman, quien quiera que fuera, viniera en busca de venganza. Mantuvieron mi nombre fuera de la historia casi por completo, y como solo llevaba ausente 48 horas, muy pocas personas sabían siquiera que había desaparecido.

Era un héroe, pero nadie lo sabía.

—¿Por qué nunca pasa nada normal aquí? —preguntó Max, mirando hacia la autopista. Estábamos en el puente de la Ruta 12, apoyados en el pasamanos mientras los coches pasaban a gran velocidad debajo de nosotros. Max estaba lanzando pedacitos de grava a los descapotados.

—Pasan muchas cosas normales aquí —respondí—. Nos levantamos, desayunamos, vamos a la escuela, tenemos trabajos. Vemos televisión.

—No, no me refiero a las cosas normales aburridas, me refiero a las cosas normales interesantes.

—¿Cómo pueden ser normales e interesantes al mismo tiempo? —pregunté.

—Porque las cosas interesantes pasan todo el tiempo —explicó—. Interesante es normal en cualquier otro lugar menos aquí. Tal vez alguien podría filmar una película o abrir una nueva tienda de cómics o podríamos tener un buen restaurante en el pueblo para variar. No sé, tal vez una estrella de cine podría venir a visitar o algo.

–Probablemente están en el Museo del Zapato todo el tiempo –dije–. Solo que tú nunca te paseas por los lugares que las estrellas de cine visitan, a menos que estés esperando que Bruce Willis venga a tirar piedras del puente con nosotros.

–No seas idiota –respondió Max–, estás perdiendo el punto. Todo lo que digo es que aquí o todo es aburrido, o alguien muere. O no pasa nada, o hay un cadáver en el lago. Ninguna de las dos opciones es agradable. Solo quiero algo por lo que pueda estar emocionado aunque sea una vez.

No pasaba ningún coche y tiré una piedra en el camino. Un momento después, un camión pasó y la piedra pegó con una llanta, haciendo que saliera disparada hacia la hierba seca a un lado de la carretera. El camión, sin siquiera notarlo, continuó su camino.

–Le tomé la mano a Brooke –dije.

–Cállate.

–No, de verdad.

Max me miró, con la cara ilegible.

–Hermano… –dijo–, ¿ya la besaste?

–Creo que me habría salido con la mía si lo hubiera hecho.

–Pues bésala –exclamó Max–. ¿Eres idiota? Y luego captura la sensación mientras estás en ello, porque guau. Tiene un gran trasero al que me encantaría ponerle las manos.

Negué con la cabeza.

–¿Cómo puede ser que un hombre tan honorable como tú no tenga una novia?

–Las mujeres aman a Max –dijo Max, volviéndose hacia el pasamanos–. Es solo que ellas… ya sabes.

–Sí –respondí–. Ya sé.

Dos días después de salir del hospital, me encontré a Brooke esperándome afuera cuando estaba caminando hacia mi coche. Eran casi las nueve de la noche, y estaba oscuro. Era la primera vez que la veía desde la casa de Forman.

–Hola –saludó. Tenía algo en las manos.

–Hola.

Y luego no dijo nada, por un largo rato, y yo no estaba seguro de qué hacer. Ella me estaba observando, con la boca torcida, el ceño un poco fruncido y la mirada fija. Su mandíbula no dejaba de moverse, como si estuviera a punto de hablar, y después de casi un minuto dijo:

–No sé qué pasó en esa casa. No sé por qué me secuestró, o por qué te secuestró a ti, o por qué ese tipo quemó todo ni nada. Sé que hay razones, porque debe haber razones, pero creo que no quiero saber cuáles son. Pienso que tal vez tú…

Se detuvo de nuevo. Desvió la vista.

Había muchas cosas que no podía leer de las personas, emocionalmente hablando, pero "te estoy dejando" era una que conocía bien.

–Eres un tipo realmente valiente –aclaró–. Y eres realmente

lindo –hizo una pausa–. Solo no quiero recordar lo que sucedió ahí. No quiero que sea parte de mi vida.

Era igual que con mi mamá y el demonio: sabía que había pasado, pero no quería confrontarlo. Ella era la única persona en el mundo con quien podía compartir esto y prefería alejarse de eso. Y de mí.

Quería hablar, pero… no podía. A veces no puedes hablar porque no hay nada que decir, y a veces simplemente hay demasiado.

–Toma –dijo, pasándome algo pequeño y negro. Lo tomé, cuidando que nuestros dedos no se tocaran. Era un celular.

»Es del agente Forman –explicó–. Se me olvidó siquiera que lo tenía hasta que lo encontré en el bolsillo de mi chaqueta hoy por la tarde. La policía lo va a querer, supongo, pero ya no quiero lidiar con eso. ¿Puedes dárselos?

–Sí –respondí.

–Gracias. Y gracias otra vez por sacarme de allí con vida. No sé qué hubiera hecho si tú no hubieras… –pausa–. Bueno, nos vemos.

–Sí.

Y luego se fue.

Era John el Valiente, el asesino de dragones, que había salvado a un reino y no había obtenido gloria alguna; que se había enfrentado a la mazmorra y no había obtenido ningún tesoro; que había rescatado a cinco princesas y se había quedado solo. Era John el Valiente.

Sabía quién era.

El teléfono en mis manos era mejor que un tesoro; era un mapa del inframundo. Lo abrí y escaneé la lista de contactos, mirando nombre tras nombre: gente del FBI, y de la red de investigación de Forman; doctores, psicólogos, criminólogos y más. E intercalado con eso, enterrados en la mitad de nombres falsos que solo podía adivinar, había otros. Demonios. Crowley se había aislado, pero Forman los conocía a todos. Si podía identificar los números correctos, entonces podría encontrarlos.

Me detuve de repente. Viendo la lista, mis ojos se detuvieron en un nombre. Ahí en la N, entre la National Mental Health Association y la Oficina Norfolg, había una sola palabra: "Nadie". En una de las llamadas que había escuchado, Forman había llamado a uno de los demonios "Nadie", pero nunca había entendido por qué. Aparentemente era su nombre.

Lo marqué.

Contestó una voz de mujer, pequeña y débil.

—Hola, Kanta —ese debía ser el otro nombre de Forman, así como el de Crowley era Makhai—. Están diciendo cosas interesantes de ti en las noticias —dijo—. Me preguntaba si habías sobrevivido.

—No sobrevivió —respondí—. Yo lo maté.

Silencio.

—También maté a Makhai —continué—. Decenas de miles de años esfumados en un abrir y cerrar de ojos.

—¿Por qué me estás diciendo esto? —preguntó la voz.

—Porque tú eres el siguiente —respondí—. Soy el asesino de demonios. Ven por mí.

SAGA
PARTIALS

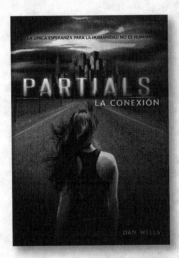

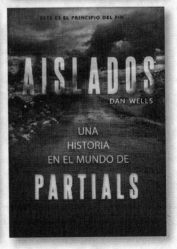

INSOMNIA

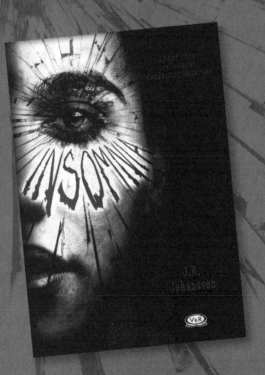

J.R. Johansson